W9-CAF-058

Así es Antioquia

This is Antioquia

Somos Editores

ediciones gamma

Así es Antioquia

Fotografías Darío Eusse

Editores Emiro Aristizábal Alvárez
Consuelo Mendoza de Riaño

Gerente Ediciones Gamma Gustavo Casadiego Cadena

POSTOBON

Contenido

Diseño
Enrique Franco Mendoza

Leyendas
Olga Lucía Jaramillo
Silvia Pérez

Comercialización
Silvia Jaramillo Hernández

Diagramación
Diseño Editorial

Corrección de textos
César Tulio Puerta

Traducción
Julia Brociner
Antonio Otero
Mateo Reyes

Coordinación
Diseño Editorial

Impresión
Printer Colombiana S.A.

Preprensa
Zetta Comunicadores

Somos Editores Ltda.
Cra.7a. No. 85-40, Of. 902
Tel.: (571) 256 54 73
Bogotá, Colombia.
e-mail: somoseditores@cable.net.co

Ediciones Gamma S.A.
Calle 85 No.18 - 32, Piso 5
Tel.: (571) 5930877
Bogotá, Colombia.
e-mail: amesa@revistadiners.com.co

2006 Primera edición.
2009 Segunda edición.

ISBN: 978-958-8177-85-4

NIKE
ADA
GÚIA

EKA

ADMON
FRUCO
SINGER

Antioquia

Departamento que forma parte
de la República de Colombia.
Extensión: 63.612 km^2
Municipios: 125
Habitantes: 5.671.689 (2005)
Densidad: 89 habitantes por km^2
Hogares: 1.474.695 (2005)
Capital: Medellín
PIB regional:
Col. $39.187.019 millones (2004)
(15,2% del PIB de Colombia)
Ingreso per cápita:
Col. $6.892.815 (2004)
Escolaridad: 82.45%
de los niños en edad de estudiar
Población indígena: 28.013
Cobertura de alcantarillado:
81,20% de las viviendas
Agua potable:
86,80% de los municipios.
Densidad telefónica: 36,67 teléfonos
por cada 1.000 habitantes
Alfabetismo: 88.10%
Bibliotecas: 396
Casas de la Cultura: 138
Museos: 76
Kilómetros de carreteras:
12.155,2
Aerodromos: 50
Aeropuertos: 2

Department that is part
of the Republic of Colombia.
Extension: 63.612 km^2
Municipalities: 125
Population: 5.671.689 (2005)
Density: 89 inhabitants per km^2
Homes: 1.474.695 (2005)
Capital: Medellín
Regional GDP:
Col. $39.187.019 Million (2004)
(15.2% of Colombian GDP)
Per capita income:
Col. $6.892.815 (2004)
Schooling: 82.45%
of children in schooling age
Indigenous: 28.013
Coverage of sewage water system:
81,20% of homes
Potable water:
86,80% of municipalities.
Telephone density: 36,67 telephones
per 1.000 inhabitants
Literacy: 88,10%
Libraries: 396
Culture Centers: 138
Museums: 76
Kilometers of roads:
12.155,2
Airfields: 50
Airports: 2

JARDIN

Jardín es color y alegría. El piso de su plaza, declarada monumento nacional, fue construido con piedras del río Tapartó. Las sillas de vaqueta en atractiva gama de colores, recostadas contra las paredes de la plaza, y los cientos de mesas en todo el marco convocan siempre a festejar.

Jardin, is all color and joy. Declared as a national monument, the town's main square cobblestoned floor was built with rocks from the Tapartó river. Colorful cowhide benches and tables deck the plaza as an ever-present invitation to celebrate.

La primera vez que llega la electricidad a un pueblo, corregimiento o vereda, es como si se descubriera para sus habitantes todo un universo en el que ellos, sin duda, son protagonistas. Los días se aprovechan más, la familia encuentra nuevas opciones de pasar el tiempo juntos, aprenden y juegan, cambian su concepto de la noche y, al mismo tiempo, ven cómo mejora la economía doméstica y sienten que su entorno empieza a cambiar porque cada vez hay más empresas que se convierten en oportunidades de empleo.

When a town, or a village, gets electricity for the first time, its people discover a whole new universe in which they are the main actors. Days last longer, families find new ways of spending time together, they learn and they play, while at the same time feeling that their surroundings are changing due to the development of new businesses that in turn, become new opportunities for employment.

Montañas, ríos, cascadas, café, caña y comercio se dan cita en el próspero municipio de Andes. La iglesia Nuestra Señora de las Mercedes, punto central del Parque Simón Bolívar, es una construcción de estilo gótico flamenco. Dicen que bajo sus cimientos existe una gran mina de oro.

Mountains, rivers, waterfalls, coffee, sugar-cane, all meet in the prosperous municipality of Andes. The gothic flamenco-style church of Our Lady of Mercy, whose foundations are said to have been built over a gold mine, is at the center of the Simon Bolivar Park.

El trabajo de la madera y los bellísimos calados en puertas, ventanas y balcones son distintivo de gran parte de las poblaciones antioqueñas. Ésta es muestra de un contraportón típico de la arquitectura de montaña. La puerta permanece abierta mientras que el contraportón, a la vez que da seguridad, enseña la casa al transeúnte. La luz que traspasa el calado invita a seguir.

Beautiful wood and lattice work in doors, windows and balconies typifie the antioquian region's architecture as can be seen here. The entrance door remains ajar while the inner door gives both a sense of security and a glimpse of the house. The light streaming through the latticework seems to invite in the passersby.

Jericó está ubicado en la ruta del café, rodeado de fincas cafeteras, plantaciones de plátano y cardamomo. Su morro El Salvador ofrece una magnífica panorámica a la vez que tutela la plaza principal. Allí se fabrican los carrieles antioqueños, los cuales se han ido transformando en accesorios de moda, que hoy en día se encuentran en prestigiosas boutiques.

Jericó, which is surrounded by coffee-growing farms, banana and cardamom plantations, is located on the coffee route. The hill of San Salvador both offers a magnificent view and seems to watch over the main plaza. *"Carrieles antioqueños"* the coffee farmer handbags, which have become fashion accesories and can now be found in famous boutiques, are manufactured here.

DISTRIBUIDORA
EL
PORTAL

La austeridad, el colorido y la serena distinción de las viviendas constituyen un ejemplo de la manera de vivir desde fines del siglo XIX y principios del XX. Muchas construcciones propias de esta época aún se conservan en Jericó. La historia y el pasado caminan por los pisos entablados de las obras republicanas, uno de los atractivos de la población.

One of the town's attractions are its austere, colorful and serene houses, which reflect the way of life in the late nineteen century and the beginning of the twentieth. Many of them can still be seen today in Jericó. History and the past seem to glide over the wooden floors of their republican-style architecture.

TU FOTO DIGITAL

Las Rutas de Vida son proyectos promovidos por la Gobernación de Antioquia con los cuales se mejoran los caminos veredales mediante su pavimentación de piedra, renovando el paisaje, generando empleos (en un alto porcentaje a mujeres cabeza de hogar) y permitiendo la integración de la comunidad que se organiza, pone su mano de obra y une esfuerzos con los gobiernos para hacer realidad las iniciativas. Este proyecto ha sido destacado por el BID como experiencia modelo en América Latina. Hoy existen más de 200 Rutas de Vida, muchas de ellas se han convertido en centros de atracción turística por su belleza.

The Routes of Life are projects promoted by Gobernación de Antioquia by which country roads are improved by stone paving, landscape renovation, by providing work (mainly for working mothers) and as a means to get the community to work together with the government.
This project has been considered by the Interamerican Development Bank (BID) as a model experience in Latin America. Today, there are more than 200 Routes of Life, which, due to their beauty, have become tourist attraction centers.

El parque principal de Ciudad Bolívar, tierra de arrieros, agricultores, caficultores, mineros y comerciantes reposa bajo samanes imponentes que dan sombra para disfrutar de uno de los mayores placeres que ofrecen los pueblos antioqueños: la tertulia con amigos al calor de una taza de café.

The *"Saman"* trees of Ciudad Bolivar give shade to this town of coffee farmers, mule drivers, farmers and miners who meet at the town's main plaza in order to enjoy one of the biggest pleasures to be found in the antioquian towns: savoring a hot cup of coffee while conversing with friends.

Levantada sobre una zona de aguas y lagunas que le merecieron su nombre, Venecia tiene al frente el cerro Tusa, asiento de la cultura Sinifaná. Este cerro es una hermosa pirámide natural de 1.850 m.s.n.m., un lugar arqueológico y que además se lo considera centro de atracción de energía cósmica.
Aún se conserva la hacienda La Amalia, la primera finca cafetera de gran escala en Colombia, que no sólo se distinguió como un gran emporio sino que estableció la primera trilladora del departamento de Antioquia.

Venecia was built in a zone where water and lakes abound (hence the name). The Tusa hill, home of the "Sinifná" culture lies in front. This beautiful, 1,850 m. high, natural pyramid is an archeological site and is considered to be a center of attraction for cosmic energy. La Amalia was the first hacienda or farm where coffee was grown on a large scale. Also considered as a great emporium, it was here that the first threshing machine in the department of Antioquia was introduced.

El corregimiento de Bolombolo perteneciente al municipio de Venecia, ubicado a plena orilla del río Cauca, es punto de paso hacia diversas poblaciones de la zona cafetera. Desde su vía principal puede observarse el cerro de Tusa.

As part of the municipality of Venecia, Bolombolo, which lies right on the shore of the Cauca river, is a crossroads leading to several of the coffee-growing towns. The "cerro de Tusa" (Tusa hill) can be seen in the foreground.

Construida en una pequeña hondonada, estrecho vallecito rodeado de colinas, Betulia posee una gran variedad de climas. Es rica en fuentes hidrográficas, entre las que sobresale el río Cauca que baña 12 km de su territorio. Café, caña, mango, plátano, ganado, pesca y minería se constituyen en el origen de su actividad económica.

Betulia, was built in a small ravine, a small valley surrounded by hills. Rich in hydrographical sources, the Cauca river being one of the most important, runs through 12 kilometers of a territory with varied climates where coffee, mango, plantain, and sugar cane growing, along with cattle raising, fishing and mining are the basis of the economy.

Tierra de poetas y caballistas, enclavada en la cordillera Occidental, Concordia es de topografía pendiente, lo que permite observar desde sus alrededores la magnitud del paisaje antioqueño y disfrutar espléndidos atardeceres. Cuenta con bellísimos caminos antiguos y un parque principal que conserva su piso forrado en piedra.

Concordia, which is located on the western mountain range is a land of horsemen and poets. Its hilly topograhy allows a splendid view of its magnificent surroundings and beautiful sunsets. Quaint, old roads as well as its main cobblestoned plaza are also worth admiring.

Recostado sobre el empinado cerro Potrerillo, con extensas llanuras a la vera del río Cauca, y con una envidiable temperatura, Valparaíso es un centro ganadero y panelero por excelencia. En la actualidad navegar por el Cauca y sus afluentes se ha convertido en un atractivo para los aficionados al *rafting*.

Valparaiso, lies on the steep Potrerillo hill. It is a "panela" and cattle raising center with vast plains by the Cauca river with an enviable climate. Nowadays, navigating the Cauca and its affluents has become an attraction for rafting enthusiasts.

Los embera son un pueblo amerindio del occidente de Colombia y el suroriente de Panamá. Los embera chamí viven en las cordilleras Occidental y Central, como éstos de Valparaíso. En la medida en que la colonización destruyó los bosques donde habitaban, han ido cambiando su manera de vivir. Sus territorios fueron además absorbidos por las haciendas cafeteras.

The *embera* are an american-indian people from Colombia's western and Panamá's south-eastern regions. The embera-chami, such as these from Valparaiso, live in the western and central mountain ranges. The process of colonization which destroyed their forests has changed their lifestyles. Furthermore, their territories were absorbed by the coffee farms.

El primer nombre de Caramanta fue Sepulturas, debido a la cantidad de tumbas indígenas que allí se encontraron. Denominada "Capital de la Ruana", se dice que con la fundación del caserío se dio origen al Suroeste antioqueño. Su arquitectura da cuenta de la rica historia del pueblo fundado en 1557.

Due to the great number of indian graves found here, Caramanta was at first called Sepulturas. Called the capital of the "ruana" it is believed that the culture of southwestern Antioquia began here. Its architecture shows the rich history of this town founded in 1557.

Al igual que en Caramanta los camiones de escalera aún recorren las carreteras antioqueñas. Pintorescos, cargados de pasajeros, bultos, mercancías, flores y productos del campo, serpentean con su colorido los caminos. En la parte de abajo van los pasajeros y en el techo las mercancías, equipajes y en ocasiones también personas.

Like in Caramanta, the "camión escalera" (bus with ladder) still runs through the roads of Antioquia. They are a picturesque sight loaded with passengers, goods, merchandise, flowers and farm produce. Passengers ride in the lower part and, piled on the roof, luggage, merchandise and at times, some passengers as well.

CARAMANTA
KAH-693
MEDELLIN

En Titiribí se juntan lo fascinante de las culturas del suroeste antioqueño con el misterio de los pueblos mineros. Su parque principal es construido en forma de herradura. El Circo Teatro Girardot, monumento nacional, es una réplica del Circo España que existió en Medellín.

In Titiribí, the fascinating cultures of southwestern Antioquia melt with the mysteries of the mining towns. Its main park was built like a horse-shoe and the "Circo Teatro Girardot" is a replica of the Spanish Circus which once existed in Medellin.

El río Penderisco serpentea por el valle de su mismo nombre rodeado de montañas. Las distintas tonalidades de verdes que allí se pueden apreciar y el contraste entre el valle y las montañas hacen de este un sitio de gran belleza natural.

The Penderisco river crosses through the valley with the same name where, the landscape sprinkled with different hues of green and the contrast between the valley and the mountains make this a place of great natural beauty.

Urrao está ubicado en el precioso valle del río Penderisco, en un paisaje verdaderamente sobrecogedor. Sus cafés, misceláneas y tiendas tienen el atractivo múltiple de la variedad, el colorido y el punto de encuentro. En su jurisdicción se encuentra el Parque Nacional de las Orquídeas, con cerca de 32.000 hectáreas.

Urrao is located in the beautiful valley of the Penderisco river in the midst of an overpowering landscape. Its colorful, varied cafés and small shops are a popular meeting place. The National Orchid Park, with an extension of close to 32,000 hectares, lies within its juridiction.

UNIVERSAL
IMUSA
TANG
Bandera Roja
POND'S
Bonder
S.O.S.

"El paraíso escondido" como se ha calificado a Urrao, es una población con belleza, movimiento, cultivos de frutales, granadillas, ganadería y maderas. Su amplio parque principal está rodeado de casas bien conservadas de arquitectura republicana. En las fiestas del Cacique Toné en el mes de junio, los balcones de las casas se adornan con flores, pancartas y ramilletes de granadilla.

Urrao has been called the "hidden paradise". Its spacious main square is surrounded by well-preserved republican architecture-style houses. The town's vibrant economy is based on fruit growing, cattle raising and lumbering. During the "Cacique Toné" festivities, in the month of June, the town's balconies are decorated with flowers, banners and bouquets of "granadilla".

Hispania es uno de los municipios más jóvenes del departamento. En pleno corazón del Suroeste, continúa siendo un pueblo tradicional de la región cafetera, de amplio parque lleno de tiendas y fondas dispuestas para la tertulia. En la zona rural se encuentran los trapiches, muy ligados también a la economía local, y algunas finca hoteles con la dotación necesaria, que se han convertido en una excelente opción para los visitantes.

Hispania is one of the department's youngest municipalities. Located right in the heart of the southwest, it continues to be a traditional coffee-growing town, complete with a spacious park, shops and pubs designed to be meeting places. The sugar mills and some hostel farms which have become an excellent choice for tourists, are found in the nearby rural areas.

La arriería sigue vigente en muchas poblaciones antioqueñas. El caballo y las mulas continúan siendo un medio de transporte importante. Tradición que se revive cualquier domingo en la plaza de Fredonia, que es lugar de mercado, compras, fiesta, comercio y encuentro.

Mule and horse driving are still in style in Antioquian towns. Horses and mules continue to be an important form of transportation. It is a tradition that can be seen every Sunday at the market place in Fredonia where shopping, partying and trade take place.

Recientes estudios científicos de ADN ofrecen evidencias que confirman los datos históricos de que la demografía del grupo *paisa*, como se denomina a los antioqueños, es genéticamente cerrada, o sea, es un aislado genético debido al confinamiento que vivió esta región después del período de la Colonia, y a la continua inmigración europea de casi dos siglos durante todo este tiempo.

Recent DNA investigations have confirmed historical data that indicate the "paisa" (as antioquians are commonly called) demographic group is genetically unique or isolated. Due to the isolation in which the region lived after the end of the colonial period as well as to the continuous wave of European immigration during such times.

Todavía se conservan antiguos túneles que sirvieron a la ruta del ferrocarril, como el de Amagá. Este túnel conduce a un altísimo y también viejo viaducto sobre la quebrada la Sinifaná.

Some of the old tunnels that served the railroad are still kept, such as that of Amagá. This tunnel leads to a very high and equally old aqueduct over the Sinifaná creek

SIEMENS

La cultura del café impregna todo el vivir y el sentir de la zona. Las típicas casas cafeteras de dos pisos eran a la vez vivienda, empresa, finca de recreo y bodega. Allí germinaban riqueza y tradición. Ellas perduran con su especial encanto, como ésta del corregimiento Palomos, de Fredonia.

Coffee culture impregnates every aspect of the region's way of life. Typical, were the two-story houses which served as living and business quarters, vacation homes and storage rooms. Tradition and wealth were nurtered there. Their special charm still pervades as in this house in Fredonia.

Los frutos enrojecidos serán luego una aromática taza de café. En el beneficiadero se lleva a cabo el proceso de preparación del café en grano para luego ser empacado. Gracias a la cosecha principal y una pequeña denominada *traviesa* o de *mitaca*, esta zona, al igual que las demás regiones productoras del país, permiten ofrecer al mundo café fresco durante todo el año.

The ripe, red beans will later become an aromatic cup of coffee. The processing of the beans as well as the packing are carried out in the "*beneficiadero*" Both the main year and smaller mid-year harvests in this zone and in the rest of the country's coffee-growing regions, can guarantee that the world will have a fresh supply of coffee all year long.

Tuberias y
FINCA
Sierra

La mula, siempre protagonista, y el arriero, su amo. Juntos recorren los caminos hasta el pueblo cercano para vender el café, que cruzará mares y continentes llevando el nombre de nuestra patria y dentro de ella, ese trozo de la Antioquia cafetera. El antioqueño de la zona montañosa gusta de casas limpias, de colores amables o vivos y siempre llenas de flores.

The mule is always present as is its owner, the mule driver. Together, they travel the roads leading to the nearest towns in order to sell the coffee that will cross oceans and continents carrying our country's name and a piece of the coffee-growing Antioquia. Antioquians of the mountain regions are fond of colorful, clean houses, always full of flowers.

Al igual que el café, la panela también forma parte de la economía del Suroeste antioqueño. Para producirla, el jugo de caña de azúcar es cocido a altas temperaturas hasta que resulte a una melaza bastante densa, luego se pasa a moldes en forma de cubo donde se deja secar hasta que se solidifica o cuaja.

Much like coffee, "panela" is part of the economy of Antioquia's southeast. It is the the result of a process by which cane sugar juice is boiled at very high temperatures until it becomes a thick molasses which is put in square cube-like molds where it dries until it becomes solid.

Caña, fuego y dulce se unen para producir la panela, un producto con excelentes características que está hoy en día a la altura de las exigencias alimentarias del nuevo milenio. Melado, postres, bebidas, guarapo, edulcorante, constituyen múltiples y deliciosas formas de consumir la panela, cuya producción data de siglos atrás.

Sugar cane, fire and sweetness together, produce "panela", a product with excellent characteristics, and which today, is in tune with the millenium's high quality food standards. It goes into many delicious preparations such as desserts, drinks, sweeteners, molasses and local typical ones. Its production dates back many centuries.

La Pintada debe su nombre a una casa de hacienda, que era la única de la región que tenía pintura. Los cerros de los farallones sobresalen majestuosos y se elevan sobre el valle del río Cauca, otorgando generosos un imponente paisaje. Es un centro turístico con excelente oferta hotelera y espacios para camping, cabalgatas y deportes de montaña y río.

La Pintada owes its name to a farm house which at one time was the only one in the region that was painted. The many hotels, camping grounds, horse-back trails, mountain and river sports, make it an excellent tourist attraction. Adding to this, the rocky hills rising majestically over the Cauca river valley provide an imposing natural scenery.

En la vía Bolombolo-La Pintada está Cauca Viejo, una parcelación que es réplica de un pueblo típico antioqueño. Cuenta con plaza, iglesia, fondas y tiendas, y un conjunto de amplias y hermosas casas cuya arquitectura exterior corresponde a los tiempos de la colonización antioqueña, entre los años 1880 y 1930.

On the road from Bolombolo to La Pintada we find Cauca Viejo (Old Cauca), a replica of a typical Antioquian town. It has a central plaza, a church, fondas (canteens) and shops, as well as beautiful and spacious houses whose external architecture corresponds to the colonization of Antioquia, between 1880 and 1930.

ALCALDIA
CAUCA VIEJO
CAUCA VIEJO
SALA DE VENTAS
PUEBLO
CAUCA-VIEJO

Rionegro se ha convertido en un centro urbano del llamado segundo piso de Medellín. La catedral de San Nicolás, construida por los españoles, y el monumento de bronce de José María Córdova, obra del maestro Rodrigo Arenas Betancur, son elementos representativos del parque principal.

Rionegro has become an urban center in what is called Medellin's second floor. The Cathedral of St. Nicholas, built by the Spaniards and the bronze statue of Jose Maria Córdova by the famed sculptor, Rodrigo Arenas Betancur, are representative elements of the town's main park.

El cultivo y la exportación de flores se han convertido en renglón destacado de la economía local. Parcelas campesinas y fincas de recreo han cedido sus terrenos a sembrados de flores de la más diversa variedad, lo que ha intensificado la ocupación de mano de obra. El microclima de la zona favorece positivamente la producción.

Cultivating flowers for export has become an important part of the local economy. Farm lands and vacation homes have now been turned into flower plantations of a great variety, much in benefit of more jobs for the region's population. The zone's microclimate greatly favors production.

Rionegro, Llanogrande y sus municipios vecinos son el asiento de cientos de fincas de recreo, algo íntimamente vinculado a la idiosincrasia *paisa*. Desde sencillas casas de tinte campesino hasta elegantes mansiones se pueden encontrar en esta tierra montañosa y fresca. Igual sucede con los alrededores de la represa de La Fe.

Much in keeping with the paisa culture, Rionegro, Llanogrande and their neighboring municipalities are home to hundreds of vacation houses. From modest farm-style houses to elegant mansions, they can all be seen in this mountainous and fresh air land. A somewhat similar situation to that of the surroundings of the La Fe dam.

La casa de la Convención, donde se firmó la Constitución de 1863, en la que las palabras libertad y federalismo fueron preponderantes, es en la actualidad un museo que conserva cuidadosamente la casa. Esa Constitución denominó a nuestro país Estados Unidos de Colombia.

The 1863 Constitution where words like liberty and federalism prevailed, was signed in the same house as the Convention had taken place. The house has now been turned into a museum that takes special care in its conservation. This was the Constitution that called our country the United States of Colombia.

Esculturas de artistas colombianos dan la bienvenida al viajero en el aeropuerto José María Córdova de Rionegro y el cual sirve a Medellín y su área metropolitana. El aeropuerto atiende vuelos de pasajeros y de carga. Su pista es utilizada, además, por la aledaña base militar de la Fuerza Aérea.

Travelers are greeted at Medellín's Jose Maria Cordova airport in Rionegro by sculptures done by Colombian artists. This airport serves cargo and passenger flights from and to Medellin and the city's metropolitan area, plus flights from the nearby Colombian air force base.

CORDOVA

AEROPUERTO
JOSE MARIA
CORDOVA
20 AÑOS
PRESENTE
CON FUTURO

En Rionegro está ubicado el Parque Recreativo Tutucán, donde los visitantes pueden disfrutar de un gran número de atracciones y diversiones, entre ellas remar en uno de sus lagos.

The Tutucán Theme Park where visitors can enjoy a great number of attractions, like boating in one of its lakes, is located in Rionegro.

Rionegro y sus municipios vecinos son asiento de cientos de fincas de recreo, algo íntimamente vinculado a la idiosincrasia paisa. Desde sencillas casas de tinte campesino hasta elegantes mansiones se observan en esta tierra montañosa y fresca. En ocasiones no hay diferencia entre la casa del lugareño y la del citadino.

Rionegro and its neighboring municipalities are the seat of hundreds of privative farms for time off, something that is intimately linked to the paisa idiosyncrasy. They range from unassuming homes with a country flavor to elegant mansions in this mountainous and cool land.On occasion there is no difference between the homes of locals and those of the city folk.

El Retiro es bello por donde se le mire: su ubicación, el casco urbano cuidadosamente conservado, la plaza, sus alrededores, forman un todo de singular placidez. Es un lugar que invita al encuentro y a la fiesta, por lo que los fines de semana se convierte en sitio de confluencia de vecinos y visitantes. La industria y talla de la madera ha tenido gran desarrollo en los últimos años.

In El Retiro, there's beauty everywhere: in its location, in its carefully preserved urban area, its main plaza, its surroundings, all convey a great sense of peace. On week-ends, it has become a favorite place for neighbors and visitors to party and meet. In the last few years, there has been an important growth in industry and in the manufacture of wood carvings.

ESTANQUILLO

La Ceja del Tambo se ve desde lo alto como un paraje excepcionalmente bello. Cuando uno se adentra en ella, le sorprende una plaza rodeada de casas con balcones cargados de flores. Sus alrededores ofrecen bellísimos cerros, senderos naturales, bosques y ríos con piscinas naturales. Es, además, un centro de reuniones académicas y de trabajo.

Seen from the air, La Ceja del Tambo, looks extremely beautiful, and once inside its premises, you will be surprised by a plaza surrounded by houses with balconies filled with flowers. Its surroundings offer lovely hills, natural pathways, forests and rivers that form natural swimming pools. It is also a center for academic and work meetings.

DUGAR
SALON
DELICIAS DEL ORIENTE
HELADOS, COMIDAS RAPIDAS, RANCHO, SALSAMENTARIA
Corona
FOTO JAPON
EPM

El paisaje de La Ceja y del oriente antioqueño es como un pedazo del Tirol en nuestra tierra. Valles y cerros salpicados de casas y un delicioso clima frío, propio para el cultivo de flores, configuran un todo encantador y plácido. El Centro de Convenciones Quirama, situado en predios del Carmen de Viboral, es una muestra excepcional de arquitectura, armonía y cultura.

The landscape in La Ceja and the antioquian eastern region looks like a piece of Germany's Tirol in our country. Hills and valleys with dozens of houses, and a deliciously cold climate which favors flower cultivation, all convey charm and tranquility. The Quirama Convention Center, located in Carmen de Viboral, is an example of architecture, harmony and culture.

Al camión de escalera, en pleno uso, sobretodo en las líneas intermunicipales, y aplicado últimamente al turismo, es tradicional pintarle figuras geométricas en vivos colores, estampas de la vida cotidiana o imágenes religiosas. Se le conoce también con el nombre de "chiva" y puede considerársele como curioso patrimonio de Guarne.

Tradition dictates that the "camión de escalera" (bus with ladder) which is still widely used in intermunicipal lines and lately for tourism purposes, should be painted with bright colors and geometric figures, scenes from everyday life or religious images. It is also called "chiva".

Las innumerables parcelas cultivadas, las casas de construcción simple en tapia o ladrillo, pintadas de variados colores y siempre con flores, como este paraje de San Vicente, convierten al oriente antioqueño en un paisaje de placidez infinita.

The many cultivated plots of land, the modest houses constructed with mud or sand bricks, painted with bright colors and always with flowers, like this scene in San Vicente, give the antioquian eastern region landscapes a sense of infinite calm.

En El Santuario la tierra se cubre como una colcha de retazos con la gama de variados verdes producidos por los cultivos de maíz, papa, fríjol, repollo, legumbres y hortalizas, ofreciendo un encanto excepcional al paraje campesino.

The land in El Santuario seems to be covered with a patch-work-like quilt made in the different shades of green of the many plots planted with corn, potatoes, cabbages, legumes and vegetables. All of which, adds great charm to this typical farm landscape.

Tierra bella, ondulada, fría, con lecherías y cultivos de papa es La Unión, donde curiosamente el monumento de la plaza principal es un tractor, símbolo del trabajo del campo. Sus predios, casas y cultivos siguen teniendo, afortunadamente, el encanto placentero que sólo proporciona la naturaleza.

La Unión a beautiful, hilly, and cold land with milk farms and potato crops, where curiously enough the monument in the main square is a tractor, symbol of work in the field. Fortunately, the place, its houses and crops keep that pleasant charm that only nature can provide

El embalse hidroeléctrico de Guatapé convirtió estas tierras en un paisaje náutico de excepcional belleza, rodeado de fincas de recreo, clubes y restaurantes. Deportes acuáticos, canopy, pesca, parques recreativos, camping y caminatas forman parte de las opciones de entretenimiento del lugar, donde también han tomado asiento algunos monasterios.

The Guatapé hydroelectric dam turned these lands into a nautical landscape of exceptional beauty, surrounded by leisure farms, clubs, and restaurants. Aquatic sports, canopy, fishing, recreational parks, camping and trail walking are part of the options for finding entertainment in the park, where some monasteries have taken their seat.

La vieja población hace gala del colorido y diseño de sus zócalos, los cuales pueden apreciarse en la localidad y constituyen un atractivo diferente y muy especial. Hay además una calle peatonal empedrada, llamada del Recuerdo, réplica de una de las vías que fue inundada por el embalse.

This old settlement proudly displays the color and design of its squares, which are seen there and which constitute a different and very special appeal. There is also a cobbled stone for pedestrians called of the Memories, a replica of one of the roads which was flooded by the dam.

Conocida como la "Piedra del Peñol", realmente es el Peñón de Guatapé, desde cuya cima a 220 metros de altura, donde se llega después de subir 649 escalones de concreto, se goza del soberbio espectáculo que ofrece el inmenso lago del embalse, con entrantes y salientes, bosques, montañas, casas y veleros.

Known as the "Rock of Peñol," actually, it is the Stone of Guatapé, from which top 220 meters up, following 649 concrete steps, one enjoys that superb show offered by the dam's lake, with inlets and ledges, forests, mountains, houses and sail boats.

El Peñol está ubicado en la zona de embalses más grande del departamento de Antioquia. La construcción de la represa originó el traslado total de la población al "Nuevo Peñol", donde se edificó la iglesia como réplica del Peñón de Guatapé, obra sorprendente ya que su textura y diseño simulan la roca.

El Peñol is located in the biggest area of reservoirs in the department of Antioquia. The construction of the dam resulted in the total relocation of the population to the "Nuevo Peñol," where a church was built as a replica of the Rock of Guatapé, a striking works as its texture and design simulate the rock.

Si bien el cambio de la zona originó la transformación de costumbres y actividades, el cultivo del tomate continúa siendo, entre otros, un importante renglón de la economía local. El turismo ha dado lugar a una nueva forma de hacer las cosas, y los monjes, religiosos y ermitaños de diversas comunidades han encontrado también aquí solaz para el espíritu.

While the change in the area resulted in the transformation of customs and activities, the planting of tomato continues to be, among others, an important activity of the local economy. Tourism has given rise to a new way of doing things, and the monks, religious people and hermits of various communities have also found solace for the spirit here.

LOXAN

En El Carmen de Viboral puede apreciarse la elaboración de las tradicionales vajillas pintadas a mano. Los dibujos plasmados en cada objeto son únicos y representan la inspiración de los artesanos. El Carmen de Viboral es patrimonio cultural y artístico que ha mantenido su tradición por más de cien años.

In El Carmen de Viboral one can see the manufacturing of traditional hand painted dishware sets. The drawings painted on each object are unique and represent the inspiration of the craftsmen. El Carmen de Viboral is a cultural and artistic patrimony that has maintained its tradition for over one hundred years.

Cocorná es un pueblo raizal antiguo, bañado por múltiples cascadas, charcos y quebradas de gran belleza natural, que son el destino de los visitantes, para mitigar así las altas temperaturas que contrastan con el frío de sus poblaciones vecinas.

Cocorná is an old Raizal town, washed by multiple water falls, ponds, and creeks of great natural beauty, which are a destination for visitors, to mitigate the high temperatures which contrast with the cold of its surrounding populations.

El campesino del oriente antioqueño es en su mayoría blanco, curtido por el sol, bonachón, amable y trabajador, como parecen mostrarlo estos dos hombres de Marinilla, población reconocida por el Festival de Música Religiosa en Semana Santa y por la fabricación de guitarras.

The peasant of east Antioquia is mostly white, hardened by the sun, good natured, kina, and hard worker, as these two man from Marinilla seem to portray; this town is known for the Religious Music Festival during Holly Week and for the manufacturing of guitars.

Junto al carriel, la ruana y el sombrero están íntimamente ligados al vestuario *paisa*, especialmente en las poblaciones de clima frío, como es el caso de Marinilla. En pleno marco de la plaza, la Hostería del Camino Real, sede de la antigua casa cural, bellamente adaptada como hotel.

Together with the leather bag, the poncho and the hat are intimately related to the paisa attire, especially in populations with cold weather such as is the case of Marinilla. Right on the square, the Camino Real Inn, seat of the old parish house, beautifully adapted as a hotel.

Concepción o "La Concha", cuna del prócer José María Córdova, se caracteriza por el trazado de sus calles estrechas, empedradas, con casas de paredes blancas, puertas y ventanas pintadas de colores vivos y con techos ennegrecidos por el tiempo. Su parque principal fue honrado en 1993 como la plaza más linda del oriente. Es conocida por sus tejidos y bordados.

Concepción or "La Concha", cradle of José María Córdova, it is characterized by the disposition of its narrow and cobble-stoned streets, with whitewash wall houses, brightly colored doors and windows and roofs darkened by the passing of time. Its main park was honored in 1993 as the prettiest square of the east. It is known for its textiles and embroiders.

La Casa de la Cultura José María Córdova es precisamente la misma donde nació el general en 1799. Guarda en sus paredes el mural del maestro Salvador Arango. Córdova fue, pese a su corta vida, el militar antioqueño más descollante durante la gesta independentista de Suramérica. Antes de sus treinta años ya había merecido el rango de General en el ejército libertador de Simón Bolívar.

The House of Culture José María Córdova is the same where the general was born in 1799. In its walls it houses the mural by master Salvador Arango. Córdova was, despite his short life, the most outstanding Antioquian military man during the independence wars of South America. Before his was thirty he had already earned the rank of General in the liberation army of Simón Bolívar.

El cultivo de la caña, propio de muchas zonas del departamento, es fuerte también en Concepción, donde la mula se convierte en el medio de transporte para llevarla al casco urbano o al trapiche. El tiempo que pasa parece haberse detenido paradójicamente en estos pueblos. El cambio vertiginoso y global no ha podido derrumbar las más fuertes costumbres ancestrales.

The cultivation of sugar cane, characteristic of many parts of the department, is also strong in Concepción, where the mule becomes the means of transporting it to town of to the mill. Paradoxically time seems to have stood still in these towns. The vertiginous and global change has been unable to crumble ancestral customs.

Granada es la expresión de la religiosidad y tradición de sus pobladores en medio de un encantador paisaje. Gente cálida y amable, mujeres hermosas, maravillas ecológicas como el Salto de la Cascada con una caída de agua de más de cien metros de altura y el aspecto sereno de sus calles, configuran uno de los lugares más hermosos del oriente antioqueño.

Granada is expression of the piety and tradition of its inhabitants in the midst o fan enchanting landscape. Warm and kind people, beautiful women, ecological beauties such as the Salto de la Cascada whose water falls over one hundred meters and the serene aspect of its streets, make it one of the most beautiful places of the Antioquian east.

Sonsón sobresale entre los municipios de la Ruta Verde de Antioquia. Por ley de la República se le dio el título de capital colombiana en 1908 y hoy en día, con su exuberante paisaje y el intenso de sus verdes, es una de las poblaciones preferidas para el descanso y el disfrute de la naturaleza.

Sonsón stands out among the municipalities of the Green Route of Antioquia. It became the Colombian capital by law of the Republic in 1908 and today, with its exuberant landscape and the intensity of its greens, is one of the preferred places for resting and the enjoyment of nature.

Sus espacios rememoran el pasado. Tradición e historia se mezclan para ofrecernos un deleite visual con las fachadas y los balcones de las casas de sus habitantes. El Museo Folclórico Casa de Los Abuelos recopila esa pasión costumbrista en una muestra fascinante de la cultura antioqueña.

Its spaces recall the past. Tradition and history blend to treat us to a visual delight with the façades and balconies of the houses of its inhabitants. The Grandparents' House Folk Museum compiles this passion for customs in a fascinating show of Antioquian culture.

Café, papa, frutas, plátano, fríjol y madera nacen del suelo a lo largo y ancho de su extenso territorio, el cual se dignifica con la hacendosa labor de su gente trabajadora y virtuosa. Sonsón cuenta con un excelente centro hotelero para ofrecerles a sus visitantes los encantos de su región.

Coffee, potatoes, fruits, plantain, beans and wood sprout from the ground all throughout its territory, which is dignified by the laboriousness of its virtuous people. Sonsón has an excellent hotel center to offer its visitors the delights of its region.

Puerto Berrío ha visto el crecimiento de la ganadería y la agricultura gracias a la generosidad de sus tierras. Transitar las aguas del río Magdalena en chalupa o canoa y recorrer sus imponentes herbajes llenos de ganado, son dos de los atractivos turísticos del puerto fluvial del departamento.

Puerto Berrío has seen its cattle and farming activities grow thanks to the generosity of its land. A journey through the Magdalena river in a flat bottom boat or a canoe and travel through its imposing grasslands full of cattle, are two of the tourism attractions of the department's river port.

La naturaleza y la belleza se fusionan en la "Antesala de Antioquia". Viejas casonas de pisos adoquinados, vestigios de su tradición ferroviaria, un vasto territorio con riqueza maderera y el Puente Monumental erigido sobre el río Magdalena, coinciden sobre su suelo para patentizar su jerarquía.

Nature and beauty merge in the "Anteroom of Antioquia". Old houses with cobbled floors, vestiges of its railroad tradition, a vast territory rich in timber and the Monumental Bridge over the Magdalena river, coincide on its ground to highlight its importance.

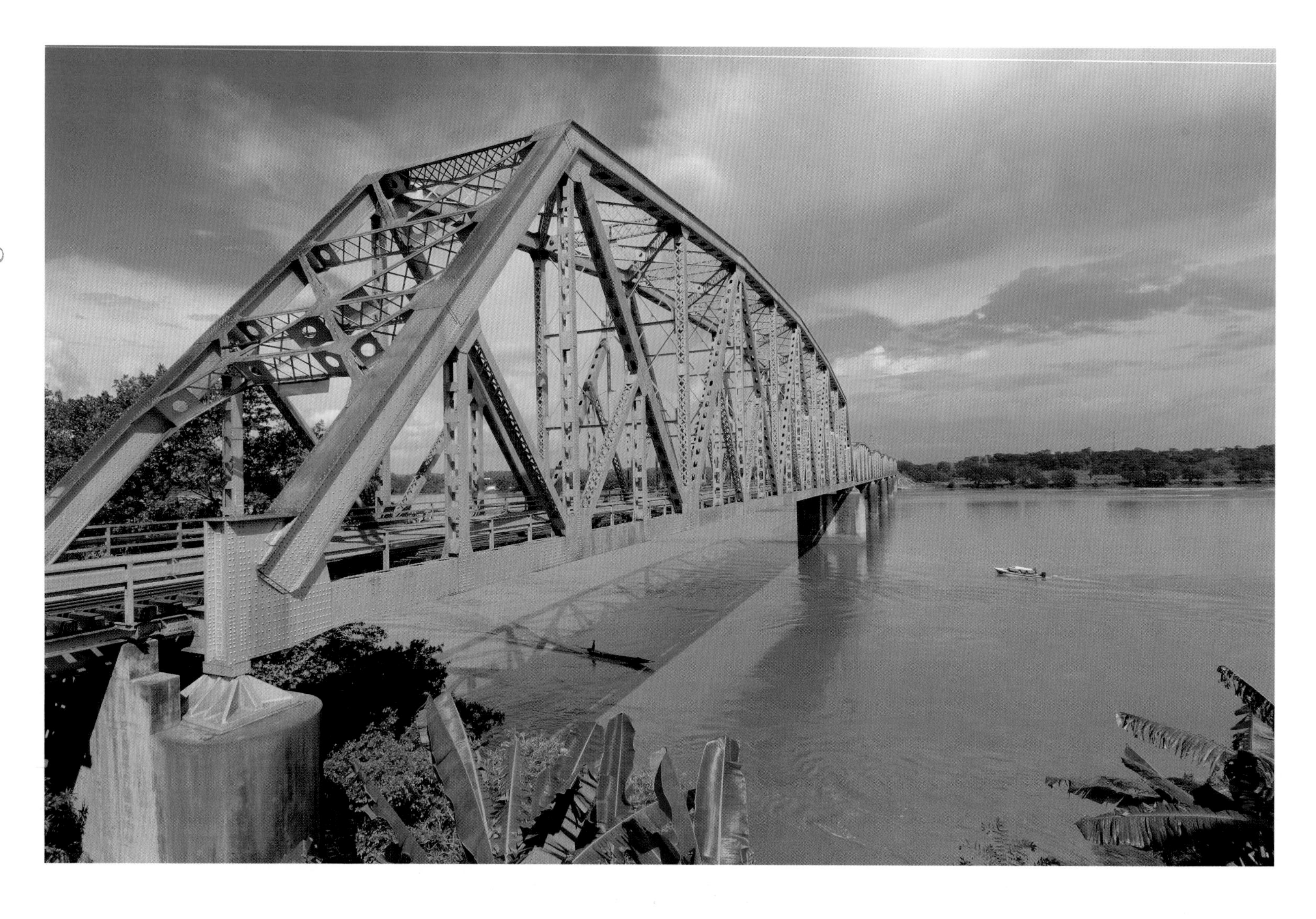

El río Magdalena, el más importante de Colombia, transcurre también por el departamento de Antioquia, en cuyo valle, llamado Magdalena Medio, se ubican poblaciones como Puerto Berrío y Yondó, haciendas agrícolas y ganaderas e incluso explotaciones de petróleo.

The Magdalena river, Colombia's most important waterway, also flows through the department of Antioquia across a valley known as Magdalena Medio, where towns like Puerto Berrío and Yondó, cattle and agricultural ranches and oil fields can be found.

A fin de consolidarse como una plataforma para la competitividad y el desarrollo económico y social, en Antioquia se están construyendo obras que mejoran la articulación entre las diferentes regiones y que la proyectan al país y al mundo. La Troncal del Nordeste agiliza la comunicación terrestre con el norte y el oriente del país y además integra a Antioquia al Sistema Vial Nacional. Une los municipios de Yolombó, Yalí, Vegachí y sirve de acceso a Remedios, Segovia y El Bagre, mejorando de esta forma el acceso a la zona minera del nordeste antioqueño.

To consolidate as a platform for competitiveness and economic and social growth, mega-projects are being built in Antioquia to improve its communication with the center of the department and large works to integrate its subregions with the rest of the country and the world. The Northeast Highway connects it fast with the north and the east of the country and also integrate Antioquia to the National Road Network. It joins the municipalities of Yolombó, Yalí, Vegachí and it serves as access to Remedios, Segovia and El Bagre, thus improving access to the mining zone of the Antioquian northeast.

Una línea del Ferrocarril de Antioquia inaugurada en 1908, es el primer episodio de la historia de Cisneros: Máquina 45, primera locomotora que cruzó el túnel de La Quiebra.

A line in the Antioquia Railroad opened in 1908, is the first episode of Cisneros: machine 45, first locomotive that crossed the La Quiebra tunnel.

45
DE ANTIOQUIA

Cisneros es un pueblo que se despliega a la par del proyecto ferroviario de Antioquia y conserva su esplendor. En su avenida principal se erige la Estación del Ferrocarril

Cisneros a town that sits next to Antioquia's railroad project and keeps its splendor. The Railroad Station is located in its main avenue.

CFA
CAJERO
Automático

CISNEROS STEREO
105.4
F.M.
RUEDAS Y VARIOS
VENTA
DE
VIDRIO

Yarumal, habitado siglos atrás por los indios nutabes, se halla sobre una pendiente desde la cual se vislumbra su inigualable paisaje. Calles empinadas, esplendorosos templos como el consagrado a Nuestra Señora de Las Mercedes y extensos pastizales poblados de ganado son sus principales atractivos.

Yarumal, for centuries inhabited by Nutabe Indians, is located on a slope from which incomparable view. Steep streets, splendorous temples as that consecrated to Our Lady of Las Mercedes and vast grasslands grazed by cattle are its main attraction.

Una hermosa planicie, alta y fría, da vida a la majestuosa y encantadora Santa Rosa de Osos, considerada uno de los fortines lecheros, cafeteros y de ganadería porcina de Antioquia y ruta obligada para quien se dirige hacia la costa norte colombiana. Limpia, serena, acogedora y con gran variedad en fauna y flora: así es la "Ciudad Eterna" de los antioqueños.

A beautiful plateau, high and cold, gives life to the majestic and enchanting Santa Rosa de Osos, considered one of the milk producing, coffee and hog farming strongholds of Antioquia and forced path for whoever is going to the north Colombian coast. Clean, serene, cozy and with a great variety of fauna and flora: it is the "Eternal City" of Antioquians.

Sus místicos santuarios reflejan la arquitectura clásica y románica del siglo XIX y fueron creados sobre el territorio que en el pasado cobijó ricos yacimientos de oro. La catedral de Nuestra Señora del Rosario de Chiquinquirá: una de las edificaciones más fascinantes construida entre1866 y 1890.

Its mystic sanctuaries reflect the classic and Romanic architecture of the XIX century, created over a territory which in the past container rich gold deposits. The Cathedral of Our Lady of El Rosario de Chiquinquirá: one of the most fascinating buildings built between 1866 and 1890.

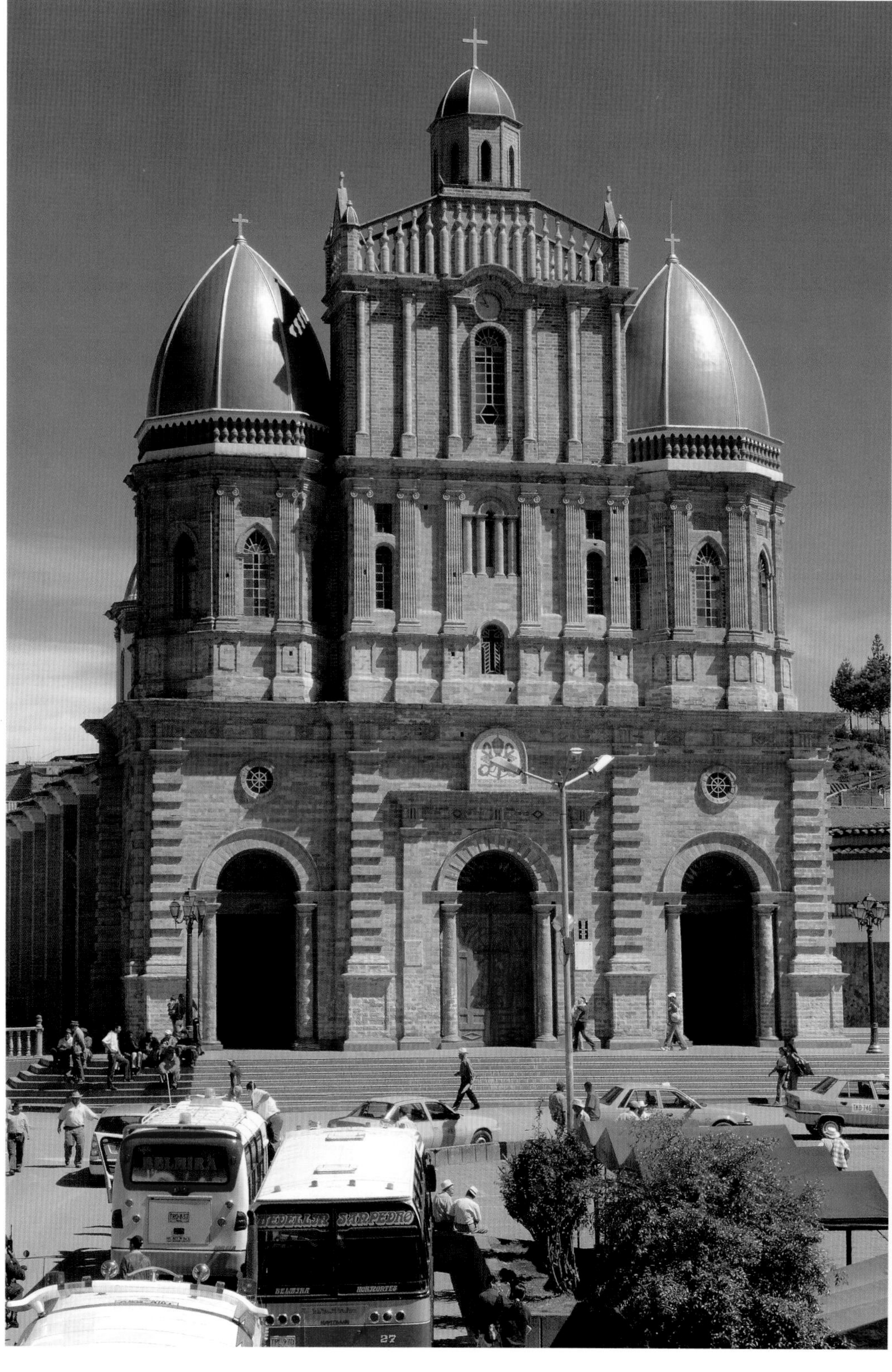
BELMIRA

San Pedro de los Milagros es un lugar que enamora por su delicadeza, impacta por su divinidad y evoca el fervor de un pueblo. La Basílica Menor del Señor de los Milagros posee dos de sus principales atractivos: el Cristo de los Milagros y una de las mejores réplicas de *La Pietá*, de Miguel Ángel.

San Pedro de los Milagros is a loveable place because of its delicateness, its impacts for its divinity and evokes the fervor of a peoples. The Lesser Basilica of Our Lord of Miracles houses two main attractions: the Christ of Miracles and one of the best replicas of Miguel Angel's *La Pietá*.

Entre los ríos Grande y Chico, caracterizados por su potencial hidroeléctrico y riqueza aurífera, nace Entrerríos: una "Suiza colombiana" ubicada en la Ruta de la Leche de Antioquia. Su panorámica paradisíaca y la imponencia de sus montes y caudales lo han convertido en un excelente destino turístico.

Between the rivers Grande and Chico, characterized for its hydroelectric potential and gold wealth, there is Entrerríos: "A Colombian Switzerland" in the Milk Route of Antioquia. Its paradise-like views and the impressiveness of its hills and rivers make it an excellent tourism destination.

Afortunados por encontrarse en una de las regiones estupendamente delineadas en la tierra, los entrerrieños son cálidos, cordiales y sencillos. Las labores del campo y el cuidado de su ganado son aspectos vitales de su economía y los bordados de sus mujeres constituyen su riqueza artesanal.

Fortunate for being located in one stupendously delineated in the land, the Entrerrieños are warm, cordial, and simple. Work in the field and tending to their flocks are vital aspects of their economy and the embroidery of its women its wealth in crafts.

En Don Matías, sus puentes, monumentos y reservas naturales encarnan la exquisitez de los espacios que tiempo atrás fueron habitados por indios katíos y nutabes. La iglesia Nuestra Señora del Rosario, de estilo neogótico y con la mayoría de sus obras esculpidas en mármol, es una de sus mejores construcciones.

In Don Matías, its bridges, monuments, and natural reserves embody the exquisiteness of places that were once inhabited by the Katío and Nutabe Indians. The church of Our Lady of Rosario, with a neo gothic style and with most of its works sculpted in marble, is one of its best constructions.

Angostura se ha convertido en uno de los centros de peregrinación religiosa más importantes de Colombia desde que el padre Marianito fue beatificado el 8 de abril de 2000. En el templo parroquial del municipio reposan los restos del sacerdote, que ejerció su pastoral en esta población y donde murió. La plaza principal está totalmente empedrada y muy bien conservada.

Ever since Father Marianito was beatified on April 8, 2,000, Angostura has become one of Colombia's most important pilgrimage centers. He was the town's priest and after his death his remains were buried in the local church. The town's cobble-stoned main square has been very well-preserved and is well-worth admiring.

Máxima del Padre Marianito
Si quieres entrar
en la vida eterna,
guarda los Mandamientos

El buen clima y los ríos y quebradas que discurren por la geografía montañosa de Angostura son una invitación para darse una zambullida en sus claras y cristalinas aguas. Las grandes rocas que descansan en los lechos de las quebradas incitan a los bañistas a tomar el sol o a escalar esas moles pétreas.

Angostura's, mild climate, rivers and streams are an invitation to dive in the crystal-clear waters and the large rocks that lie at the bottom of the streams invite swimmers either to climb on top or to relax over them enjoying the sun.

Carolina del Príncipe, con más de tres siglos de historia, irradia toda la belleza de un pueblo típico antioqueño. La ganadería y el cultivo del café son el sustento para los carolinitas: hombres que encarnan la tradicional figura del arriero y mujeres que atesoran la pulcritud de sus hogares para solemnizar los recuerdos y hacer realidad las quimeras.

Carolina del Príncipe, with more than three centuries of history, it shines all the beauty in a typical Antioquian town. Cattle raising and coffee are the bread and butter for Carolinitas: men who embody the traditional model of the hauler and women who treasure cleanliness in their homes to celebrate their memories and crystallize their chimeras.

49-33
HONDA

Calles empedradas, puertas y ventanas abiertas de par en par para recibir la luz primaveral y flores que cuelgan de sus antiguos balcones, forman parte del paisaje de este lugar de ensueño que apresa su pasado. El Festival de los Balcones honra su principal riqueza arquitectónica, esculpida por las manos de carpinteros y artesanos del siglo XVIII.

Cobble stoned streets, wide open windows and doors to welcome the spring light and flowers that hang from its old balconies, are all a part the landscape of this dream place which captures its past. The Festival of the Balconies honors its main architectural wealth, sculpted by the hands of carpenters and craftsmen of the XVIII century.

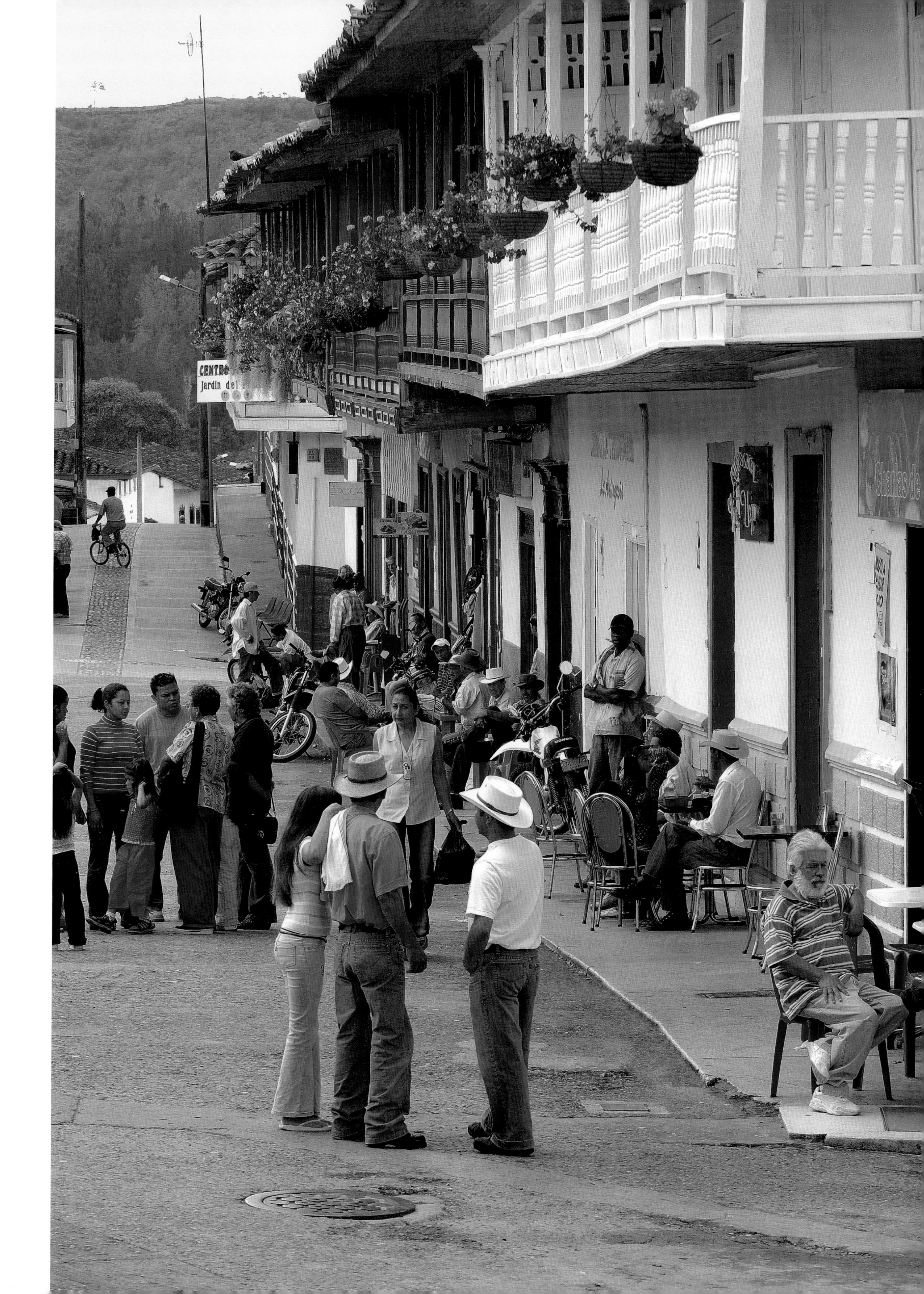
CENTRO
Jardin del
ÉPOCA

En su Plaza Centenaria, el monumento a Los Mineros inmortaliza sus ancestrales oficios y los gomezplatenses hacen gala de su estirpe. Las estaciones del vía crucis, hechas de metal y enmarcadas en madera, dilucidan el sendero para los miles de feligreses que visitan la parroquia Nuestra Señora del Carmen.

In its Centennial Square, the monument to The Miners, it immortalizes its ancestral activities and the Gomezplatenses boast of their lineage. The Stations of the Cross, made of metal and framed in wood, shed light on the path for the thousands of parishioners who visit the Parish of Our Lady of Carmen

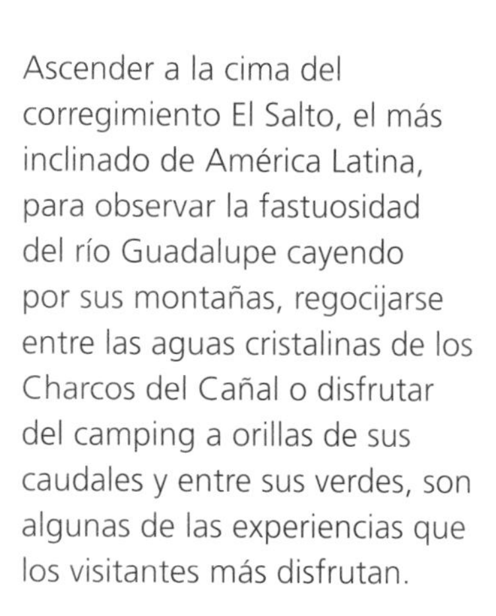

Ascender a la cima del corregimiento El Salto, el más inclinado de América Latina, para observar la fastuosidad del río Guadalupe cayendo por sus montañas, regocijarse entre las aguas cristalinas de los Charcos del Cañal o disfrutar del camping a orillas de sus caudales y entre sus verdes, son algunas de las experiencias que los visitantes más disfrutan.

To climb to the top of the El Salto district, the steepest in Latin America, to see the fastuous view of the Guadalupe river flowing down its mountains, rejoice among the crystalline waters of the Cañal Ponds or enjoy the camping at the shoreline of its rivers and amid its green areas, are some of the experiences that visitors enjoy the most.

La "luz" tiene un significado especial en las zonas rurales. La energía eléctrica es un servicio esencial para el vida en el hogar y para el desarrollo empresarial. Y EPM ilumina el progreso de las comunidades antioqueñas a través de la generación y distribución de energía eléctrica en la región, que llega hasta los rincones más apartados para mejorar la calidad de vida de sus habitantes, estar más cerca de ellos, acompañarlos para que vivan cada día y cada noche la magia de la "luz". Son imágenes que se llevan en la memoria, instantes del pasado y del presente que guardan el secreto de lo que, entre todos, construimos hoy para el futuro.

The arrival of "light" or electricity has special significance in the rural areas. Electricity is a special service for homes and for the development of businesses as well. EPM lights up progress for Antioquia's communities by generating and distributing electricity throughout the region's most remote areas in order to improve the people's quality of life, so that they can enjoy the magic of "light" day and night. These are images, past and present, that remain in your memory, in the way of a secret of what we have built today while at the same time constructing the future.

La PAZ es un don de Dios y tarea nuestra

Ubicada en lo alto de una colina, Valdivia ofrece una de las mejores panorámicas del departamento. En ella, las canteras de piedra de la hacienda Santa Inés y la parroquia La Santísima Trinidad, con su estilo en forma circular, son las posesiones más preciados por sus pobladores.

Located atop a hill, Valdivia affords one of the best views in the department. In it, the rock quarries of the Santa Inés ranch and the parish of the Holy Trinity, with its circular style, are the most cherished possessions of its inhabitants.

Puerto Valdivia es uno de los corregimientos más hermosos del país que merece una referencia especial por su importancia turística. Sabor, tradición y color adoban las comidas que fascinan el paladar de los visitantes: su ingrediente especial lo constituye el delicioso pescado extraído de sus aguas.

Puerto Valdivia is one of the most beautiful districts of the country and deserves a special reference for its tourism importance. Flavor, tradition, and color adorn the meals that mesmerize the palate of visitors: its special ingredient is the delicious fish pulled from its waters.

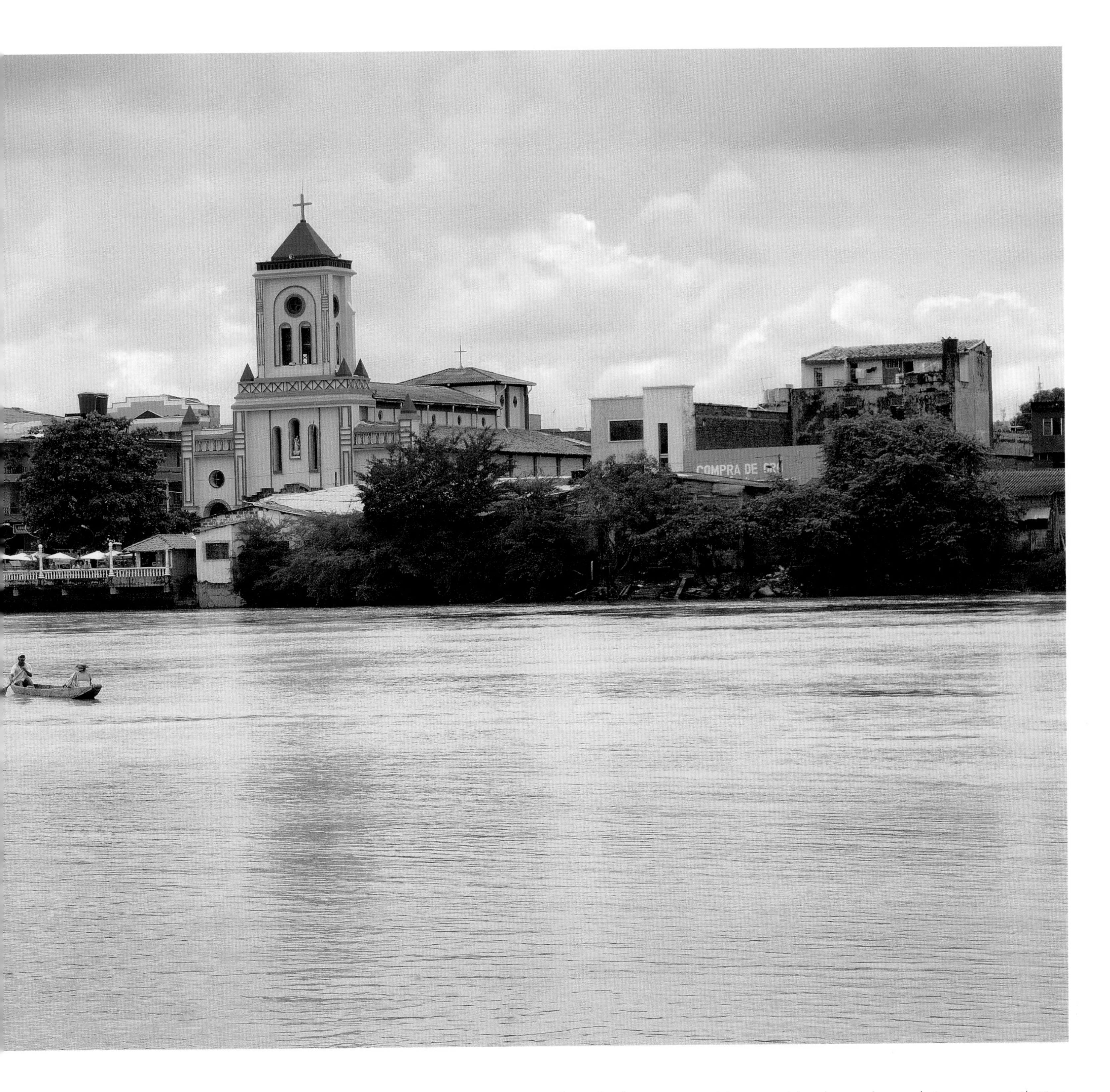

Islas, ciénagas, quebradas y caños son el resultado de la unión consagrada de su tierra con los ríos Cauca, Nechí y sus afluentes. La iglesia la Sagrada Familia, de arquitectura moderna y con sagrario en forma de pez, es el monumento a la divina Providencia por la presencia de peces en sus aguas.

Isles, marshlands, creeks, and streams constitutes the consecrated union of their land and the Cauca and Nechí rivers. The church of the Holy Family, of modern architecture with a fish-shaped tabernacle, is the monument to the divine Providence by the presence of fish in its waters.

Su nombre lo heredó del río Tarazá, el cual se abre camino a pocos metros del parque principal y atraviesa su generosa vegetación para desembocar en el río Cauca. Allí se encuentran playas de aguas perfectas para la navegación y balnearios que son el destino turístico ideal para quienes buscan aventura.

It inherited its name from the Tarazá river, which flows a few meters away from the main park and crosses its generous vegetation to flow into the Cauca river. Perfect water beaches are found there for navigation and swimming; the perfect destination for those who seek adventure.

Conocida como la "Capital Católica del Bajo Cauca", Cáceres es uno de los municipios más antiguos de Antioquia con 430 años de fundación. Dicen sus habitantes que debajo de la iglesia Santa María Magdalena reposa una enorme veta de oro. Sin embargo, su fragante vegetación a los ojos de todos es su mayor patrimonio.

Known as the "Catholic Capital of the Lower Cauca," Cáceres is one of the oldest municipalities of Antioquia founded 430 yeas ago. Its inhabitants say that below the church of Santa María Magdalena there lies an enormous vein of gold. In their eyes, however, its vegetation is its biggest patrimony.

Palmeras y árboles definen magistralmente el litoral del golfo de Urabá y bordean sus atractivas playas y ciénagas. Con un suave oleaje, el mar acaricia la arena blanca y brillante mientras el sol hace que sus pobladores, con los ojos entreabiertos por su reflejo, esbocen una cálida sonrisa.

Palms and trees masterfully describe the shore of the gulf of Urabá borders its attractive beaches and marshlands. With soft waves, the sea caresses the white and brilliant sand while the sun, with its shine, elicits a warm smile from its bleary-eyed inhabitants.

La vegetación avasalla la mayoría de sus 608 km^2. Viajar por la carretera al mar, revestida por miles de árboles, se constituye en una experiencia inigualable. Chigorodó es una plaza tranquila con asombrosas zonas verdes, gente cálida y sitios para el camping y la práctica deportiva de la pesca.

The vegetation overwhelms most of its 608 km^2. To travel by road to the sea, lined with thousands of trees, is an unrivaled experience. Chigorodó is a peaceful town with amazing green areas, warm people and places for camping and sport fishing.

Apartadó es el "Corazón de Urabá" y su nombre en dialecto indígena traduce río del Plátano, siendo el cultivo de éste su principal actividad económica. En esta planicie, que forma parte del Caribe colombiano, habitan afrodescendientes, *paisas* e indígenas, que proveen a la zona de una diversidad cultural manifiesta que embruja a sus visitantes.

Apartadó is the "Heart of Urabá" and its name in indigenous dialect means river of Plantain, as this crop is the economic mainstay. This plateau, which is part of the Colombian Caribbean, is inhabited by afro descendants, paisas and indigenous people, who give the manifest cultural diversity that bewitches its visitors.

72
59

Urabá es el emporio de la riqueza bananera. Sus espacios emanan el olor de la fruta que crece en cientos de plantaciones en toda la selva húmeda tropical sobre la cual se asienta esta región. Actualmente la industria del banano compite en el mercado internacional y ha logrado excelentes resultados.

Urabá is the emporium of banana wealth. Its spaces let off the smell of the fruit that grows in hundreds of plantations throughout the tropical rainforest on which this area is located. Today, the banana industry competes in the international market and has achieved excellent results.

Esta región costera en el océano Atlántico resulta el escenario perfecto para disfrutar los placeres de la naturaleza. Conocer el proceso de producción bananera, desde la siembra hasta el embarque, para observar el arduo trabajo de sus campesinos, es una de las actividades turísticas más sugestivas.

This coastal region in the Atlantic ocean results in the perfect setting to enjoy the pleasures of nature.
To learn the production process, from the planting to the shipping, to see the arduous work of its peasants, is one of the more suggestive tourism experiences.

En tierras antioqueñas, la cultura indígena revive nuestro pasado. Los "Olo Tule" (Hombres del Universo) están dotados con potencialidades y privilegios según sus creencias. Las artesanías, caracterizadas por el tejido artístico y sus originales técnicas de bordado, son verdaderas obras de arte.

In Antioquian lands, the indigenous culture revives our past. According to their beliefs, the "Olo Tule" (Man of the Universe) are gifted with potentialities and privileges. The craftwork, characterized by the artistic knitting and original embroidery techniques, are true works of art.

Sus hogares son pequeñas chozas en las cuales se aprovecha la caña para hacerlas resistentes al vaivén del clima. Agricultura, pesca y caza constituyen la base de su sustento y sus coloridas vestimentas, que reflejan una tradición milenaria, sobresalen en medio del verde y el azul de su paisaje.

Its homes are small huts which use sugar cane to make them resistant to the whims of the weather. Agriculture, fishing, and hunting are the base of their livelihood and its colorful attire, which reflect a millenary tradition, stand out amid the green and blue of its landscape.

A finales del siglo XIX, el sueño de integrar comunidades y acercarse al mar llevó a hombres y mujeres, dirigidos por el ingeniero José María Villa a la construcción de un puente colgante sobre el río Cauca, catalogado monumento nacional por su belleza: El Puente de Occidente, hoy considerado Patrimonio del Departamento y una de las obras de ingeniería monumental del país.
Built over the Cauca river in the 19th centrury, and restored in 1998, the "Puente de Occidente", is considered as being one of the department's heritage. Today, the Governor's Office has projects that would identify the bridge as the country's most monumental work of engineering.

Arrieros Somos Forjadores de Vida, es una oportunidad para reencontrarnos con nuestras raíces, con las costumbres paisas, con las querencias por el terruño. Excusa excelente para plasmar, en este encuentro de la Antioquia rural y la urbana, el propósito institucional de la Gobernación de Antioquia, de trabajar por la reconciliación de la ciudad con el campo.
The institutional purpose of 'Haulers we are forgers of life' program of the Government of Antioquia, is to work for the reconciliation of the city with the countryside and it is an opportunity to revisit roots, the paisa customs, and the love for the land.

Fundada en 1541, la villa aún conserva su hermosa arquitectura. Su clima cálido, casas, plazuelas e iglesias la convierten en un lugar de visita obligada para los turistas. El Festival de Cine de Santa Fe de Antioquia reúne anualmente a miles de personas apasionadas por el séptimo arte.

Founded in 1541, the villa still keeps its beautiful architecture. Its warm climate, houses, inner courtyards and churches make it into a must see for tourists. The Film Festival of Santa Fe de Antioquia annually gathers thousands of enthusiasts of the silver screen.

Santa Fe de Antioquia, antigua capital del departamento, es la población que mejor conserva sus construcciones coloniales, y en sus calles y casas se siente aún el halo de la historia, lo que hace que la visita a esta villa sea un viaje obligado de quien quiere conocer el departamento de Antioquia.

Santa Fe de Antioquia, the department's former capital is without a doubt the town with some of the most well-preserved colonial buildings in whose streets and houses a certain halo of history can still be felt. Thus, for those wanting to become familiar with the department of Antioquia, visiting this town becomes a must.

El túnel Fernando Gómez Martínez se abre paso entre las montañas para conectar a Antioquia con el centro, oriente, suroccidente y noroccidente del país y en un futuro con Centroamérica. Sus 4,6 km de longitud, que lo convierten en el más largo de Latinoamérica, permiten a los antioqueños fortalecer su economía, integrarse y acercarse al mar para proyectarse al mundo.

The Fernando Gómez Martínez tunnel cuts a path through the mountain to connect Antioquia to the center, west, southwest, and northwest of the country and in the future with Central America. Its length of 4,6 km, make it into the longest of Latin America and allow Antioquians to strengthen their economy and approximate to the sea and project itself to the world.

NO PITAR
ACPM

Envigado se caracteriza por su organización, elegancia y por el aprovechamiento de los recursos financieros de manera eficaz y eficiente. Casas antiguas rodeadas de flores suelen verse cerca del parque principal: la Casa de la Cultura Miguel Uribe Restrepo es uno de estos ejemplos.

Envigado is characterized by its organization, elegance and the use of financial resources in an effective and efficient manner. Old houses surrounded by flowers can typically be seen near the main park: the Miguel Uribe Restrepo House of Culture is one of these examples.

Cuenta con modernas construcciones como el intercambio vial Los Fundadores que demuestran su progreso urbanístico. Los envigadeños, hijos de los indígenas anaconas de alto nivel cultural, ofrecen a sus visitantes un trato cordial y un paisaje que fusiona lo moderno con lo tradicional.

There are modern constructions such as the Los Fundadores Exchange evidencing its urban development. Envigadeños, descendants of the Anacona Indians, with a high cultural level, offer their visitors a cordial treatment and a landscape that merges the modern with the traditional.

El parque principal de Envigado, Marceliano Vélez Barrientos, se llama así en honor del cinco veces gobernador de Antioquia, primer abogado de la Universidad de Antioquia y candidato a la Presidencia. Desde 1776 es el lugar preferido de los envigadeños. Ricamente adornado con jardineras, senderos, bancas, lámparas y bustos de ilustres hijos de la localidad, y con la iglesia Santa Gertrudis como su construcción más importante, el parque sirve de escenario para diferentes certámenes religiosos, culturales y cívicos del municipio.

Envigado's main square is named after "Marceliano Vélez Barrientos",to honor the five times Antioquia Governor and presidential candidate. It has been the local population's ("Envigadeños") favorite meeting place since 1776. It is richly decorated with flower beds, pathways, benches, lamps and busts of the town's most illustrious sons. The "Santa Gertrudis" (St. Gertrude)church stands in the background. The park also serves as a scenario for the municipality's different cultural, religious and community events.

La iglesia de San José, inaugurada el 29 de enero de 1956, es el segundo templo con mayor número de ladrillos en Colombia, después de la Catedral Basílica Metropolitana de Medellín. Una de sus grandes particularidades consiste en que sus columnas no llevan hierro. El templo, de estilo gótico, está dotado de imágenes, altares, ornamentos y vasos sagrados que son motivo de admiración de propios y extraños.

After Medellín's Cathedral, the Church of SanJosé (St. Joseph), inaugurated on January 29, 1956, is Colombia's second church with the largest amount of bricks used in its construction and columns that were built without the use of any iron. Its Gothic style, filled with imagery, ornaments, and sacred vases is cause for admiration for visitors and locals alike.

El municipio de Envigado desarrolla el proyecto Parque Lineal La Heliodora, alrededor de la quebrada del mismo nombre, con 22 hectáreas de espacio público, 2,5 kilómetros de senderos, nueve miradores y la siembra de 50.000 árboles. Esto incluye la intervención de los retiros de la quebrada, así como del bosque y los caminos para que la comunidad pueda disfrutar de los atractivos naturales de este importante municipio del valle de Aburrá. La Escuela Fernando González en Envigado, abajo, fue proyectada y construida por el arquitecto belga Agustín Govaerts durante los años 1920 a 1923. La Escuela nació como resultado de una nueva concepción, que rompió con los viejos esquemas de enseñanza y donde se incorporaron nuevos espacios que significaron una enorme transformación de las escuelas tradicionales.

The municipality of Envigado, is now developing a Project called "Parque Lineal La Heliodora" along the stream with the same name. It will give the community the opportunity to enjoy 22 hectares of public space, 2.5 kilometers of tree-lined paths, (50,000 trees are being planted) and several terraces overlooking the natural beauty of this important municipality of the Valley of Aburrá. In Envigado, the school called Fernando González , was designed and built by the Belgian architect, Agustin Govaerts from 1920 to 1923 using wide spaces in accordance to new teaching methods that greatly transformed traditional schools.

Conocida como la "Ciudad Industrial de Colombia", Itagüí cuenta con el mejor centro de la confección y los textiles en el Valle de Aburrá: la Vía de la Moda. Pinturas y esculturas en el Parque principal Simón Bolívar, Parque del Artista y el Parque del Obrero; y reservas naturales como el Pico del Manzanillo, son sus principales atractivos.

Known as the "Industrial City of Colombia," Itagüí has the best textile manufacturing center in the Aburrá Valley: Fashion Alley. Paintings and sculptures at the main Simón Bolívar Park, Artist's Park, and the Blue Worker's Park; natural reserves such as the Manzanillo Peak, are its main attractions.

Spring
motos
General Electric
Panasonic

Sabaneta es un lugar de peregrinación y esparcimiento. Cada martes, más de ocho mil personas visitan el santuario de la Virgen María Auxiliadora en la iglesia Santa Ana. A su vez, las fondas y discotecas abren sus puertas los fines de semana y lo convierten en el destino preferido para la diversión nocturna.

Sabaneta is a place of pilgrimage and relaxation. Each Tuesday, more than eight thousand people visit the sanctuary of Virgin María Auxiliadora in the Santa Ana church. In turn, the inns and discos open its doors during the weekend and make it into the preferred destination for nighttime fun.

En el alto de San Miguel, en Caldas, nace el río Medellín. El camping y las caminatas ecológicas son actividades que se viven a diario en este lugar. Otros de sus encantos lo constituyen el Parque principal Santander, amplio y arborizado, y un conjunto de casas que conservan su arquitectura republicana.

The Medellín river springs from the fall of San Miguel, Caldas. Camping and ecological trails are daily activities here. Another of its charms, the Santander main Park, ample and full of trees, and a set of houses that keep is republican architecture.

EDIFICIO
CALDAS

Es un municipio callado y apacible, ubicado en el extremo sur del Valle de Aburrá, que aún mantiene su ambiente pueblerino. La basílica de Nuestra Señora del Rosario de Chiquinquirá aloja una de las pinturas más hermosas de la Inmaculada. Uno de sus corregimientos, La Tablaza, conserva lujosas mansiones y posee zonas verdes amplias con frutales y jardines.

It is a quiet and peaceful municipality, located in the south point of the Aburrá Valley, still maintains its small town atmosphere. The basilica of Our Lady of Rosario de Chiquinquirá houses one of the most beautiful paintings of the immaculate.
One of its districts, La Tablaza, maintains luxurious mansions with extensive green areas, fruit tress and gardens.

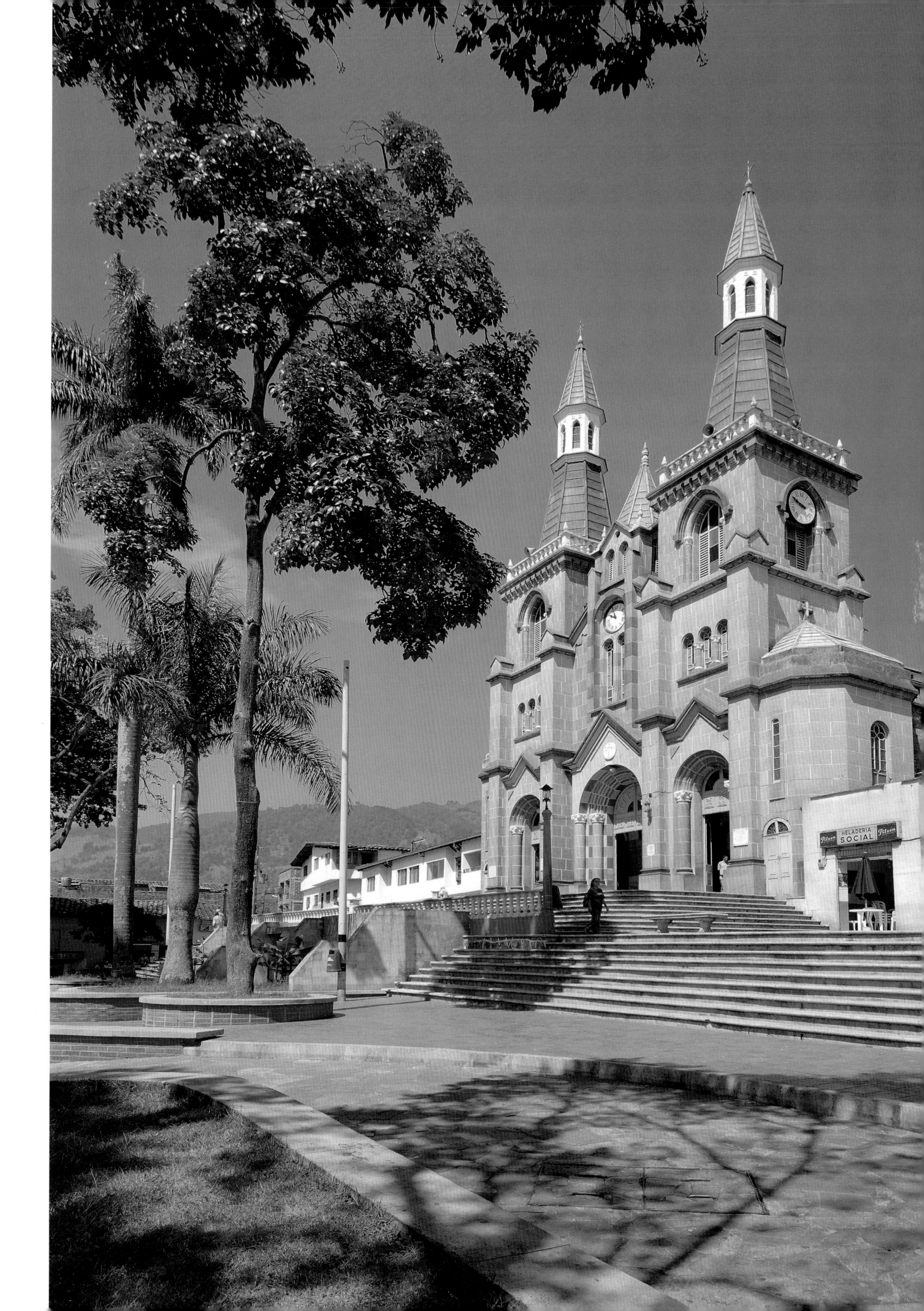
Pilsen
HELADERIA
SOCIAL
Pilsen

Bello nació en los predios del cacique Niquía en 1676 y se fundó bajo el cerro de Quitasol, la montaña más imponente del Valle de Aburrá que guarece a los más de 400.000 bellanitas que lo habitan. Su principal actividad económica es la industria: importantes empresas tienen sede en el municipio, convirtiéndolo en el fortín de este sector en Antioquia.

Bello was born amid the land of the Niquía chieftain in 1676, founded at the base of the Quitasol hill, the most imposing mountain in the Aburrá Valley which shelters the more than 400,000 Bellanitas who live there. Industry is its economic mainstay: important companies have their headquarters in this municipality, the sector's stronghold in Antioquia.

Uno de los mayores regocijos para este municipio es ser la cuna del reconocido escritor, profesor, agricultor y ex presidente colombiano Marco Fidel Suárez. La pequeña choza donde habitaba, se exhibe en un museo junto con tres de sus esculturas de bronce que corresponden a diferentes momentos de su vida.

One of the biggest joys for this municipality is to be the cradle of the renowned writer, professor, planter, and former Colombian president Marco Fidel Suárez. His small dwelling is exhibited in a museum together with three of his bronze sculptures which correspond to different moments in his life.

La iglesia Nuestra Señora de Asunción construida en 1870 con un estilo español, de hermosos vitrales y edificada en bloques de piedra; el monumento a La Madre y la platea cultural, en el parque principal de Copacabana, son algunas de las asombrosas expresiones de la religiosidad y la cultura de este pueblo.

The church of Our Lady of Asunción built in 1870 in a Spanish style, of beautiful stained glass works built in stone blocks; the monument to The Mother and the cultural stage, in the main park of Copacabana, are some of the expressions of the piety and culture of these people.

La iglesia parroquial de Nuestra Señora del Rosario, construida en adobe de barro cocido y erigida como parroquia en 1833, es hoy en día la catedral y sede de la nueva Diócesis de Girardota. En este lugar, los creyentes llegan para venerar al Señor Caído y agradecerle por sus milagros.

The parish church of Our Lady of Rosario, built in sun baked adobe blocks, a parish since 1833, is today the cathedral and the seat of the new Diocese of Girardota. The faithful come here to praise the Fallen Christ to thank him for his miracles.

La exuberancia de sus árboles y una gran cantidad de fincas pequeñas y muy hermosas, cercadas por zonas verdes bien cuidadas, son el común denominador de Barbosa: uno de los sitios preferidos por los citadinos para descansar y recrearse. Las Fiestas de la Piña, en honor de su fruto más prominente, convoca en julio a cientos de visitantes.

The exuberance of its trees and a large number of small and beautiful farms, surrounded by manicured green areas, are the common denominator of Barbosa: one of the preferred places for rest and leisure. The Fair of the Pineapple, in honor of its most prominent fruit, draws hundreds of visitors in July.

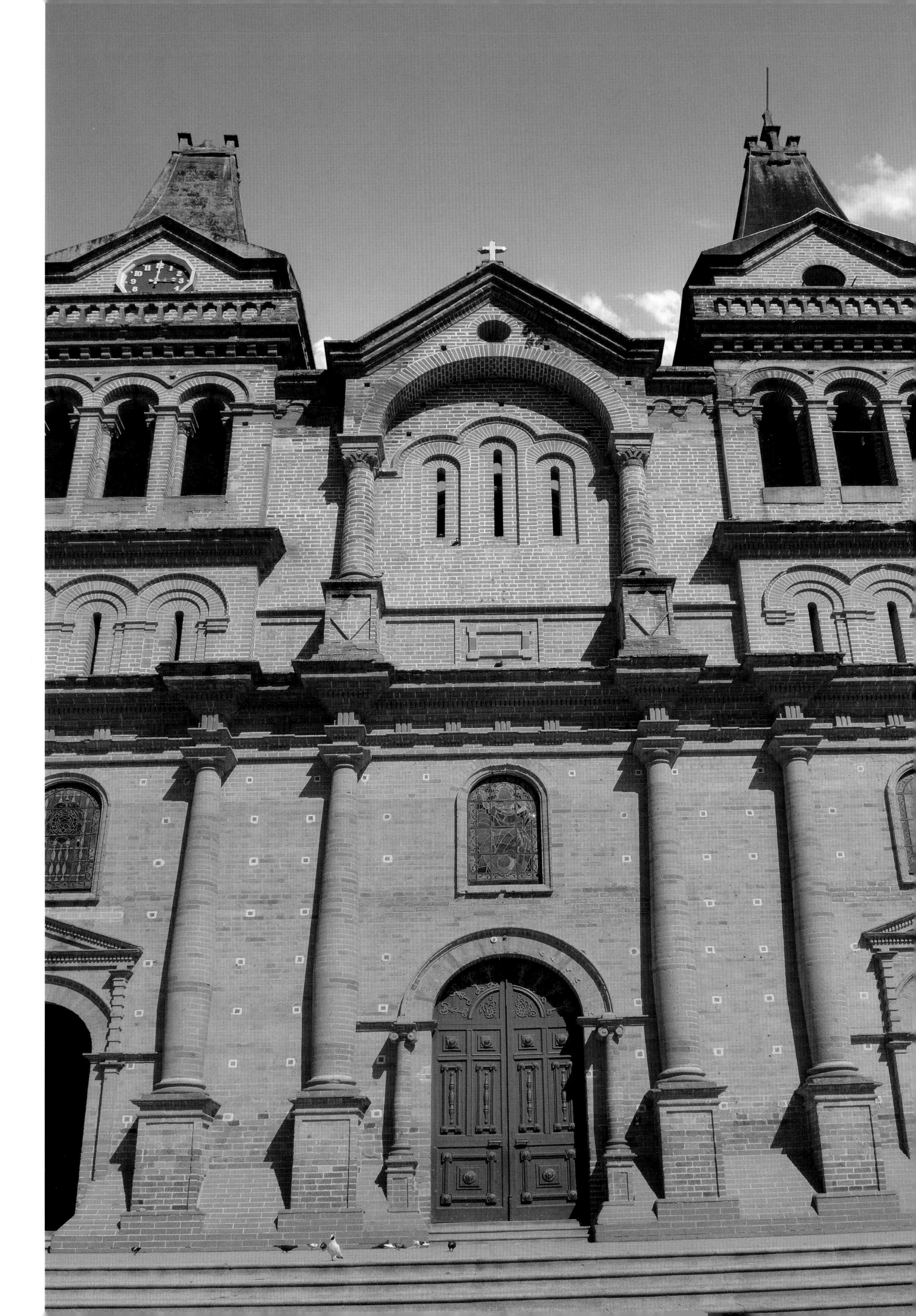

La ciudad se ha llenado de parques y bibliotecas, algunos de carácter temático. Ambos son punto de confluencia ciudadana y recintos para la recreación y el conocimiento que forman parte del plan de renovación local y de una política que busca la armonía y la sana convivencia.

The city has filled with parks and libraries, some of which are themed. These are both citizen gathering points and places for recreation and knowledge which are part of the local renewal plan, and part of a public policy geared toward harmony and healthy coexistence.

El sector de la Alpujarra, sede de las oficinas del gobierno, los Juzgados, el Centro de Convenciones Plaza Mayor y el renombrado edificio de Empresas Públicas de Medellín, es una de las zonas de mayor dinamismo y transformación. Allí hay, además, teatro, museo, restaurantes y en un futuro habrá hoteles y otros atractivos desarrollos locales.

The Alpujarra sector, home to the government offices, the courts, the Plaza Mayor Convention Center and the renowned "Public Works of Medellín (EPM)" Building. This is one of the most dynamic and rapidly transforming areas. There are also theaters, museums, restaurants and in the future there will be hotels and attractive local developments.

El edificio Coltejer, ícono de la ciudad, y el Parque de Berrío, otro de los lugares enraizados en el sentir antioqueño, cuya basílica de Nuestra Señora de la Candelaria fue la primera iglesia que se edificó en Medellín. La más grande transformación de los últimos años la vivió la ciudad con la construcción del Metro, obra que ha marcado el cambio más radical en su urbanismo.

The Coltejer Building, an icon in the city, and the Berrío Park are some of those places which are deeply rooted in the Antioquian heart, the basilica of Nuestra Señora de la Candelaria, located in the park, was the first church built in Medellín. The greatest transformation experienced by the city in the past few years took place with the building of the Metro, which has triggered the most radical change in its urban layout.

La sede del Museo de Antioquia, antiguo Palacio Municipal, y la Plaza Botero, ubicada justo frente al museo, que exhibe un importante grupo de esculturas del maestro Fernando Botero, han sido catalogadas como el emprendimiento urbanístico y cultural más ambicioso de Medellín en los últimos tiempos.

The Antioquia Museum, housed in the old City Hall, and the Botero Plaza, located just in front of the Museum, hold a significant sculpture collection by the Master (el Maestro) Fernando Botero, have been catalogued as the most ambitious urban and cultural endeavor of the past few years in Medellín.

SUSALUD, la Compañía Suramericana de Servicios de Salud, es la organización filial de Inversura S.A. dedicada al mejoramiento de la calidad de vida de los colombianos, a través de la orientación y el cuidado de la salud de sus afiliados en el ámbito de Seguridad Social. Como fortalezas se destacan su solidez y respaldo, una reconocida red de prestadores de servicios de salud y la calificada gestión en la atención y administración de la salud .

SUSALUD, the South American Health Services Company is a subsidiary of Inversura S.A., devoted to improving the quality of life of Colombians through health care of its affiliates, as part of the Social Security system.
Its strengths lay in its robustness and backing, its renowned network of providers and health service institutions, and highly rated health care management.

El edificio de San Ignacio es testimonio vivo de una sociedad que a través de la arquitectura plasmó su necesidad de educación, cultura y libertad. Allí nació la Universidad de Antioquia. Conformado por el claustro y la iglesia del mismo nombre, en el período republicano se construyó el Paraninfo o aula máxima de la universidad y centro del desarrollo cultural y educativo.

The San Ignacio building is a living testimony of a society which rendered in Architecture its need for education, culture and liberty. Thus, the University of Antioquia was born. Made up of the Cloister and the church bearing its name, the University's Auditorium was built, constituting an epicenter of cultural and educational development.

Rodeada de edificios, con el Parque de Bolívar a sus pies, la Catedral Basílica Metropolitana, calificada como la estructura de barro cocido más importante del mundo, requirió 1'120.000 ladrillos para su construcción. Su interior alberga obras de arte de destacadas figuras coloniales y del pintor antioqueño Francisco Antonio Cano.

Surrounded by buildings, with Bolivar Park at its feet, the Metropolitan Basilica Cathedral is qualified as the most important baked clay structure in the world; its construction required the use of 1,120,000 bricks. Its interior houses art pieces from renowned colonial figures and from the Antioquian painter Francisco Antonio Cano.

Protección S.A. lleva 17 años acompañando a los colombianos en la construcción de su ahorro provisional. En la actualidad, esta Administradora de Pensiones y Cesantías tiene cerca de 2 millones de afiliados y 7.700 pensionados, por los que trabaja intensamente para ofrecerles mejores alternativas de ahorro que les garantice tener en el futuro una mejor calidad de vida. Sus 1.795 empleados son el capital de trabajo más importante de Protección, empresa que se ha convertido en una de las principales del país, con gran trayectoria en el campo de la Seguridad Social y con gran experiencia en el manejo de las inversiones.

Protección S.A. has been helping Colombians to build their provisional savings for 17 years. Currently, this Pension and Severance Pay company is devoted to providing its close to two million active members as well as its 7.700 pension plan members with the best alternatives for their savings in order to guarantee a better quality of life in the their future lives. Protección has become one of the country's most important companies due to its longtime experience in the fields of Investment and Social Security, as well as for the work of its 1,795 employees considered to be the company's best asset.

La denominada "Cultura Metro" ha hecho de este medio de transporte un ejemplo de civismo, convivencia y aseo. El metro como tal; el metrocable para llegar a empinadas zonas marginadas y mejorar sus condiciones de movilidad, y el metroplús, sistema de transporte masivo de mediana capacidad complementario del metro, forman parte del Sistema Integrado de Transporte, una verdadera muestra del desarrollo eficiente de la ciudad.

The so called "Metro Culture" has made this means of transportation an example of civic culture, coexistence and cleanliness. The metro as such, the metrocable to reach steep marginal areas and improve their mobility conditions, and the metroplus, a mid-capacity mass transit system complementary to the Metro, are all part of the Integral Transportation system are a real sample of efficient urban development.

El Jardín Botánico Joaquín Antonio Uribe, cobijado ahora bajo una atractiva estructura vanguardista y un verdadero remanso verde entre el concreto citadino, abre sus puertas a renombradas exposiciones de orquídeas, flores, fauna, y certámenes diversos que lo han convertido en un sitio obligado de encuentro.

The Joaquín Antonio Uribe Botanical Garden, blanketed by an attractive vanguardist structure, is a true green haven from the concrete filled city, and it opens its doors to renowned orchid expositions, as well as flowers, fauna and diverse events that have made it a mandatory gathering place.

En el marco de la Feria de las Flores, en el mes de agosto, el Desfile de Silleteros convoca a propios y extraños frente a una muestra de tradición y creatividad. Cientos de campesinos con silletas cargadas de flores recorren la ciudad para exhibir lo mejor de sus jardines. En otras épocas las silletas eran un medio para transportar flores, mercancías y personas.

As part of the Flower Fair in the month of August, the Silletero Parade gathers natives and visitors around an example of tradition and creativity. Hundreds of campesinos (countryfolk) with silletas (back frames) full of flowers tour the city to show off the best of their gardens. In olden times, silletas were a means to transport flowers, merchandize and people.

INVERSURA es la holding de Seguros y Seguridad Social del Grupo Empresarial Antioqueño, que cuenta entre sus empresas con la Administradora de Riesgos Profesionales SURATEP. Esta compañía, enmarcada en la seguridad social del país, ha adaptado un estilo y filosofía de trabajo que permite incrementar la tranquilidad y la seguridad para los empleadores, el bienestar para los trabajadores y sus familias, y la productividad y competitividad para las empresas y el país. La gestión de los riesgos ocupacionales de SURATEP contribuye día a día con el mejoramiento de la calidad de vida para prevenir, asistir y responder oportunamente a los afiliados ante los eventos que puedan ocurrir con ocasión o como consecuencia del trabajo.

INVERSURA is the Insurance and Social Security holding group, part of which is SURATEP, the professional risks company that in accordance with the country's social security programs works on behalf of the company employees and their families' welfare as well as in favor of the company's and the country's productivity and competitiveness. SURATEP's management of professional risks makes a day by day contribution towards improving the employees quality of life by preventing, giving aid and promptly responding to any work-related event.

Salud Sin Fronteras

Salud Sin Fronteras es un grupo de prestigiosas instituciones de salud de la ciudad de Medellín, que se ha destacado por ofrecer excelentes servicios mediante personal altamente calificado, apoyándose en la tecnología de vanguardia para ofrecer diagnósticos exactos y oportunos.

Las instituciones de salud que forman parte del grupo le permiten ofrecer los más avanzados tratamientos médicos y quirúrgicos, brindándoles a sus pacientes los mejores servicios con estrictos controles de calidad que se rigen por normas y protocolos nacionales e internacionales.

Dentro de las fortalezas del grupo se encuentran:

- Trayectoria reconocida como grupo y de cada una de las instituciones que lo constituyen.
- Convenios docentes asistenciales que garantizan investigación.
- Contar con instituciones pioneras en servicios especializados.
- Alto desarrollo científico y tecnológico.
- Calidez y amabilidad de la comunidad y de las instituciones.
- Precios competitivos.
- Todas las instituciones cuentan con una excelente infraestructura.

El Grupo Salud Sin Fronteras está integrado por:

Clínica Cardiovascular Santa María
Clínica El Rosario
Hospital Universitario San Vicente de Paúl
Clínica de Oftalmología San Diego
Hospital Pablo Tobón Uribe
Clínica Las Vegas
Clínica Medellín
Clínica Las Américas
EMI

Entre las especialidades que se encuentran en el portafolio de servicios del Grupo están:

Cardiología
Cirugía plástica, estética y reconstructiva
Cirugía de tórax
Neumología
Neurología
Odontología
Oftalmología
Ortopedia
Pediatría
Tratamiento del cáncer
Trasplantes
Urología

Known for its excellent health-care services, highly-trained staff and up-to-date technology, "Salud Sin Fronteras" is made by a group of the city of Medellin's most prestigious health care institutions.

The group's health-care institutions can offer their patients, the most up-to-date medical and surgical treatments according to strict quality control and national and international protocols.

The group is well-recognized for:

- Its long-time performance as a group and by each one of its institutions.
- Teaching fellowships for research programs.
- Counting on institutions that have pioneered specialized services
- Developing high technology and scientific services
- Warm and caring services by the community and by the different institutions.
- Competitive costs
- The excellent infrastructure to be found in all of its institutions.

The group "Salud Sin Fronteras" is made by the following institutions:

Clínica Cardiovascular Santa María
Clínica El Rosario
Hospital Universitario San Vicente de Paúl
Clínica de Oftalmología San Diego
Hospital Pablo Tobón Uribe
Clinica Las Vegas
Clínica Medellín
Clínica Las Américas
EMI

The Group's services portfolio includes the following specialties:

Cardiology
Plastic, esthetic and reconstructive surgery
Thorax surgery
Pneumology
Neurology
Odonthology
Ophtalmology
Orthopedics
Perdiatrics
Cancer Treatments
Transplants
Urology

El Hospital Pablo Tobón Uribe brinda atención médica integral de alta complejidad. Entre sus especialidades se destacan los trasplantes de órganos como hígado, riñón, intestino y múltiples; trasplante de médula, tratamiento integral del cáncer con radioterapia, braquiterapia, quimioterapia, cirugía oncológica, cuidados paliativos; ortopedia, clínica de la cirugía bariátrica y cirugía plástica reconstructiva, entre otros. Su amplio grupo humano sirve bajo el lema: Un hospital con alma y sus servicios se prestan con altos estándares de calidad, por ello ha recibido múltiples reconocimientos y premios en calidad.

The Pablo Tobon Uribe Hospital offers high complexity comprehensive medical care with leading-edge technology. Among its principal specialized areas include organ transplants (liver, kidney, intestine, multiples and bone-marrow).
There is integral cancer treatment, including radiotherapy for cancers, brachytherapy, chemotherapy, cancer surgery and palliative care. It also offers orthopedics, bariatric surgery and reconstructive plastic surgery, amongst other services. All those who work there follow the same motto: "A hospital with soul".
The hospital delivers a high standard of quality, and has won many marks of recognition and awards for it.

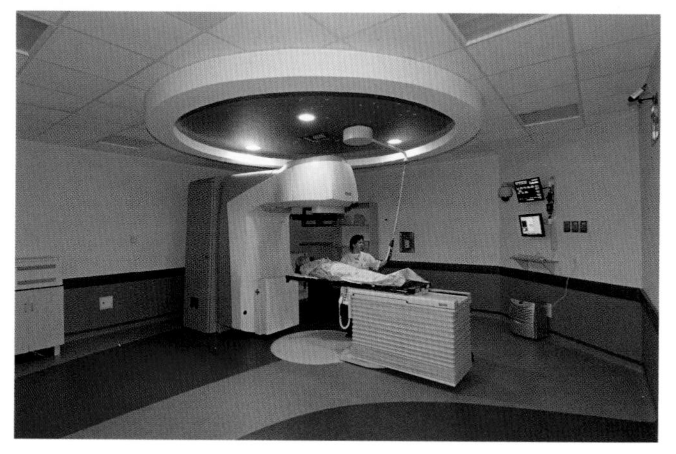

Clínica Las Américas es una institución hospitalaria que se fundó en 1993 con el propósito de ofrecer servicios integrales en salud de alta tecnología y calidad humana. En la actualidad cuenta con un equipo humano integrado por más de 500 profesionales de la salud que brindan sus servicios en 50 especialidades, con 220 camas de hospitalización, 13 quirófanos, unidad de cuidados intensivos neonatales y para adultos, resonancia magnética, urgencias y servicios integrales de cardiología, entre otros. En los últimos años se ha convertido en el referente nacional e internacional para el tratamiento de enfermedades de alto costo. Todos sus servicios están certificados bajo la norma ISO 9001 versión 2000 y su laboratorio cuenta con la del Colegio Americano de Patología Internacional.

Clinica Las Américas was founded in 1993 designed to provide the highest technological and human health care services. At the present time a team of more than 500 highly trained professionals offer their services in 50 specialties in 220 hospital beds, 13 operating rooms, an intensive care unit for newborn babies and adults, magnetic resonance, emergencies and complete cardiology-related care, among others. Over the past years it has become an international reference for the treatment of high cost illnesses. All its services are ISO 9001 certified in its 2000 version and its clinical laboratory works in conjunction with the American College of International Pathology.

La Clínica Medellín es una de las más tradicionales instituciones de salud en el departamento de Antioquia y ha sido pionera en múltiples procedimientos médicos y quirúrgicos. La institución, ubicada en Medellín, cuenta con cerca de 400 profesionales en 23 especialidades médicas para la prestación de servicios como: urgencias, cirugía, hospitalización, unidad de cuidados intensivos, imágenes diagnósticas, consulta especializada, laboratorios clínico, vascular y de patología, entre otros. Así mismo atiende pacientes en anestesiología, cardiología, cirugía cardiovascular, cirugía de tórax, cirugía general, cirugía plástica, dermatología, fisiatría, ginecobstetricia, medicina interna, medicina crítica y cuidados intensivos, neumología, neurocirugía, oftalmología, ortopedia, otorrinolaringología, patología, pediatría, radiología, urología y vascular periférico.

Clinica Medellín is one of the most traditional health-care institutions in the department of Antioquia. It has done pioneering work in many medical and surgical procedures. Located in the city of Medellín a staff of close to 400 health care professionals offer their services in 23 specialties such as emergencies, surgery, hospitalization, intensive care unit, diagnosis imagery, anesthetics, cardiology, thorax, plastic and general surgery, dermatology, gyneco-obstetrics, internal and critical medicine, intensive care, pneumology, neuro-surgery, ophthalmology, orthopedics, eye-ear- nose-throat illnesses pathology, radiology, pediatrics, urology and vascular peripheral problems.

Una suma de experiencia, profesionales, ciencia, investigación y servicio posicionan hoy en día al Hospital Universitario San Vicente de Paúl como líder en la prestación de servicios de salud de alta complejidad al nivel de los mejores del mundo, con programas de trasplantes, uno de los más avanzados de la región; de tratamiento integral del cáncer, con cuarenta años de experiencia; de urgencias, de medicina física y de rehabilitación; de neonatología y UCI neonatal; de Unidad de quemados; Hospital Infantil; primer banco de tejidos multipropósito y la unidad de investigaciones, y todos los servicios de apoyo necesarios para la atención integral de enfermedades de alta complejidad. Como puede verse, el Hospital es una lección de humanismo, solidaridad, compromiso médico y científico al servicio de la salud. Estos principios forman parte de la razón de ser del personal que trabaja, siente y vive cada día su lema: "Hospital Universitario San Vicente de Paúl, una vida entera por la vida".

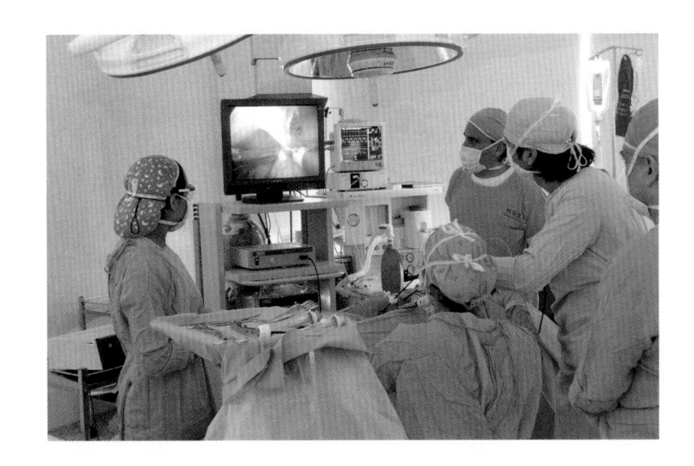

A sum of experience, highly-trained professionals, research and service make the San Vicente de Paul Hospital one of the leading institutions in providing complex health at an international level that include transplant programs, among the most advanced in the region, cancer treatments, emergencies, physical and rehabilitation medicine, pneumatology, neonatology and burn patients intensive care units, children's hospital, a first-time multi-purpose tissue bank, research institute, plus all the services needed to provide complex health care services. All of which shows that the hospital is a lesson in humanitarian services, solidarity and commitment to medicine and science. Such principles move the hospital's staff whose everyday motto is: "Hospital San Vicente de Paul, a whole life devoted to life".

El Instituto de Cancerología es una entidad de carácter privado creada para ofrecer un servicio integral en la educación, prevención, diagnóstico y tratamiento del cáncer. Fue fundado en 1991, e inició sus actividades en el área de la Radioterapia y la Oncología Clínica en octubre del mismo año. Actualmente cuenta con tres sedes: Las Américas y La Aguacatala en Medellín y una nueva sede en la ciudad de Rionegro. La Unidad de Trasplante de Médula Ósea cuenta con un completo equipo de especialistas, integrado por médicos con más de diez años de experiencia, tanto en centros del país como en instituciones internacionales.

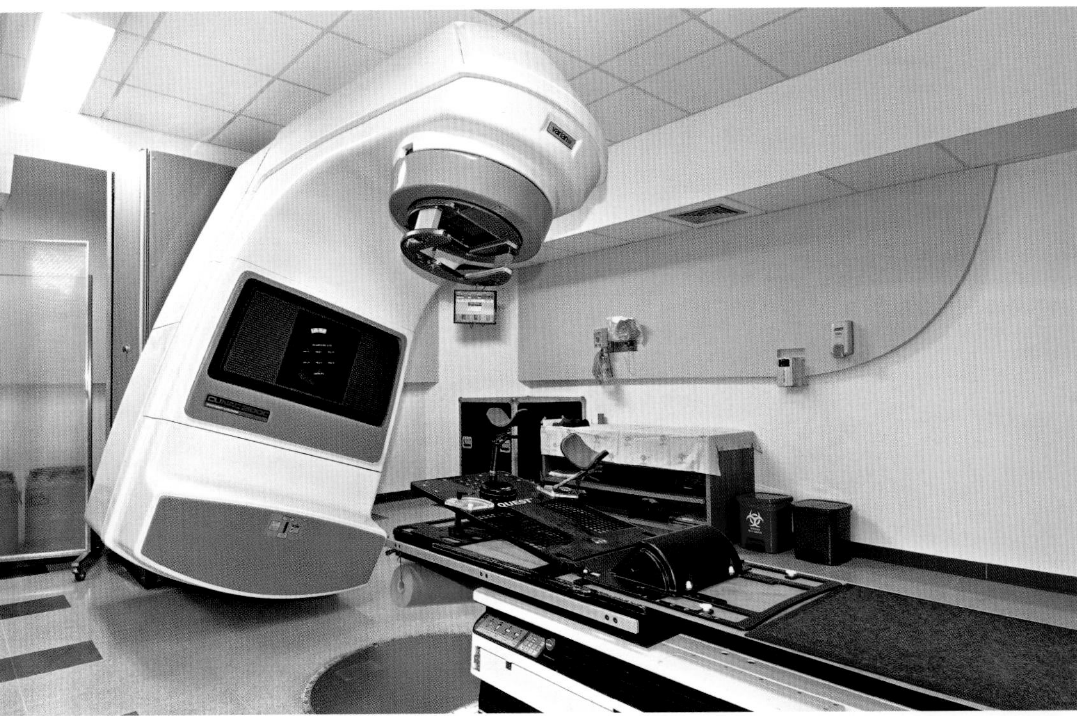

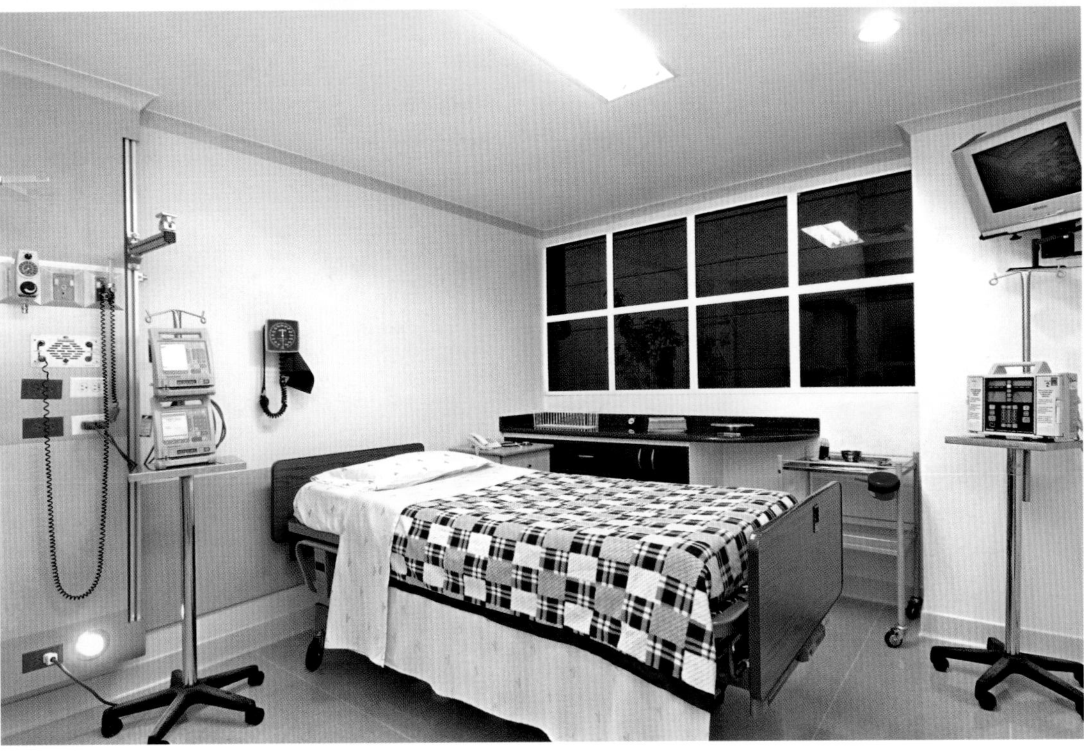

The Cancer Institute is a private institution designed to provide complete cancer treatment-related services such as education, diagnosis, and prevention. It was founded in 1991, when it began to offer services in radiotherapy and clinical oncology. It currently has three offices in the "Aguacatala" and "Americas" sectors of Medellín, as well as a new one in the city of Rionegro. A team of highly-trained professionals with more than ten years of experience here and abroad, work in its Bone Marrow Transplant Unit.

En la nueva sede del Instituto de Cancerología de Rionegro se prestan los servicios de atención integral del cáncer, que se inician en la consulta especializada, pasando por los diferentes tratamientos ya sea quimioterapia, radioterapia o cirugía oncológica en sus diferentes especialidades.

Complete cancer treatment services are provided at the Cancer Institute's new office in Rionegro that start with a special consultation, followed by treatments such as chemotherapy, radiotherapy, and surgical oncology according to the patient's different needs.

INSTITUTO DE
CANCEROLOGIA
Las Américas
CLÍNICA

Así es Antioquia

Segunda Edición

Este libro se terminó de imprimir en los talleres de Printer Colombiana S.A. en Febrero de 2009